W9-CUB-646

Chamblin Bookmine
Jax, FL 904-384-1685
March 07

COLLECTION
FOLIO CLASSIQUE

William Shakespeare

Roméo et Juliette Macbeth

Préface et traduction d'Yves Bonnefoy

Gallimard

© *Mercure de France,*
1968, pour la traduction de Roméo et Juliette,
1983, pour la traduction de Macbeth.
© *Éditions Gallimard, 1985, pour la préface.*

L'inquiétude de Shakespeare

I

Pourquoi rapprocher Macbeth *de* Roméo et Juliette *? Le drame noyé de brume, taché de sang, traversé de cris d'épouvante, l'œuvre de Shakespeare la plus nordique et nocturne — et, si méditerranéenne au contraire, la tragédie romanesque, le poème qu'un Pisanello aurait aimé peindre à fresque dans un de ces beaux palais où la musique et la danse semblent dégager le désir de la gangue de sa violence première ?*

Quant à Macbeth, il nous apparaît comme le coupable absolu, sans rien en lui qui puisse attirer cette compassion dont l'Occident a fait le principe d'explication de notre intérêt pour la tragédie, tandis que Roméo et Juliette sont, ou du moins nous paraissent être, les victimes totalement innocentes d'une conjuration du hasard des astres et de la sottise des hommes. Ils meurent, mais comme la preuve faite, nous semble-t-il, que la noblesse et la pureté ne sont pas des vues de l'esprit. Le jour se lève lorsque la pièce finit.

Toutefois, observons d'abord que l'Italie n'est pas pour les Élisabéthains ce que nous croyons aujourd'hui qu'ils y rencontraient déjà. Sans doute était-elle pour eux la scène de la culture, de la beauté, de la joie des sens, mais la pensée révolutionnaire de Machiavel s'était répandue à travers l'Europe comme une menace qu'il fallait vaincre, et en pays protestant ce déni se fait par un amalgame qui compromet la culture qu'on sait pourtant nourricière. Machiavel est assimilé à Satan pêle-mêle avec les jésuites, artisans de la Contre-Réforme, suppôts du diable, et l'Italie est désignée sous ce signe comme la terre de la perfidie, du poison, du meurtre. Iago est italien, de même qu'est écrite dans l' « *italien le plus pur* » *la sombre histoire de l'oncle que son neveu assassine — c'est dans* Hamlet, *le* « *théâtre dans le théâtre* » *— en lui versant pendant son sommeil un suc vénéneux dans l'oreille. Le roman gothique s'annonce. Le Sud est déjà autant que le Nord l'occasion d'une méditation sur les aspects ténébreux de l'âme, en péril depuis la première faute.*

Et cette méditation se fait dans Roméo, *l'œuvre des premières années, et* Macbeth, *maturité de Shakespeare, d'une façon qui n'est pas si dissemblable, ce qui permet au rapprochement des deux pièces de nous les faire apparaître, chacune, dans une lumière nouvelle. Macbeth, le mal incarné, quand Roméo ne serait que l'amour injustement — mystérieusement — victime ? Mais Shakespeare a montré dès les premiers mots de* Macbeth *que son héros est victime d'une agression aussi difficile à combattre que lourde de conséquences. Il était, nous dit-on, la loyauté, le courage, mais voici que les forces du mal décident là, devant nous, sur la scène même, de l'impliquer dans un plan qui de toutes parts le dépasse, puisqu'il n'y s'agit de rien moins que du sort d'une dynastie qui est encore au pouvoir en Écosse et en Angleterre lorsque la pièce est écrite. Or, ces forces, pour les contemporains de Shakespeare, cela existait, cela menaçait chacun. Qu'elles se déchaînent contre Macbeth, que ce soit sur cette âme qu'il leur faille faire main basse, et qu'elles puissent l'induire à ses projets criminels en lui prouvant qu'elles ont le don de déchiffrer l'avenir, c'est tout de même pour cet obscur chef de clan une singulière malchance.*

Il est vrai que les trois démones qui le prennent ainsi dans leur filet ne pourront triompher de sa volonté que parce qu'il y a dans celle-ci une faille, virtuelle ou déjà marquée : nous sommes avec

Shakespeare, et malgré les restes de paganisme qu'il sait percevoir en Écosse, dans le monde chrétien du libre arbitre où le diable a grande puissance, mais dans des limites précises. Macbeth, qui succombe si aisément, et qui va être si vite une figure si noire, ne peut avoir été avant que l'action commence un vrai juste et une âme pure. Mais le choix dont il est l'objet et qui a accru son péril déplace notre regard d'un niveau du mal vers un autre, plus intérieur et moins aisément perceptible — même par celui qui le porte en soi — que la simple ambition vulgaire ou le goût de la rapine ou du meurtre. Macbeth n'est pas innocent mais il a été au début une âme si insidieusement affectée qu'elle ne savait pas qu'elle était coupable.

Ce que confirme d'ailleurs toute une série d'indications que Shakespeare nous donne, d'entrée de jeu : ou plutôt peut-être voit se former, de façon parfois peu distincte, dans la figure rapidement si concrète que vaut à son personnage la sympathie qui le porte — c'est là l'essence de son génie — vers tout ce qui vit et meurt. Ce qui apparaît d'abord, chez Macbeth — et il fallait bien ce génie pour en avoir l'intuition, dans ce cas d'un guerrier que sa vaillance au combat a rendu célèbre —, c'est la peur, c'est l'omniprésence de la peur. Macbeth ne craint pas l'épée de son adversaire, mais un conte de bonne femme le fait trembler. A peine a-t-il conçu son projet de crime, et des visions l'épouvantent. Le spectre de Banquo signifie son remords sans doute, sa crainte très naturelle de la colère du ciel, mais il l'effraie bien plus qu'aucun justicier de chair et de sang parce qu'il vient de ce monde de l'invisible qu'il a toujours entrevu autour de lui, avec toujours de l'angoisse. C'est là une peur d'essence métaphysique, et qui révèle en Macbeth une aliénation qui est bien de cette sorte insidieuse, presque cachée, que nous avons commencé de pressentir. Cet esprit inquiet est sur le qui-vive, là où d'autres ne verraient que des occasions de louer leur Dieu, au spectacle de la nature. Il est moins l'être qui veut le mal, lucidement, que celui qui à tout instant le redoute, comme un vertige qui paralyse la propension à l'amour, et sur lequel le vouloir n'a que peu de prise.

Et d'autre part nous pouvons comprendre, dès le dialogue avec les sorcières, que Macbeth a une obsession qui est également de celles qui échappent à la conscience, bien qu'elle soit à l'origine chez lui de pensées et d'actes nombreux. Cette hantise, c'est celle de la paternité, dont il ne connaît pas le bonheur — puisqu'il n'a pas d'enfants, aussi viril apparaisse-t-il —, et c'est la jalousie de la descendance des autres. « Vos enfants seront rois », dit-il à Banquo à l'instant même où les sorcières, ces Parques, se sont dissipées dans la brume. Cette idée gâte déjà l'avenir dont il a eu la promesse, c'est elle qui plus tard le reconduira chez les prêtresses d'Hécate, à la porte même de l'enfer, parce qu'il lui faut à tout prix s'entendre redire par celles-ci ce qu'en fait il n'ignore pas mais se refuse à admettre. Et chez sa femme aussi on voit en deux occasions se marquer avec une rare violence le souvenir des enfants qu'elle a eus, semble-t-il, mais en tout cas a perdus. Lady Macbeth a des mots terribles pour préférer son projet de meurtre à l'enfant qui buvait son lait. On comprend que l'assassinat du roi, l'usurpation du pouvoir, va être le nouvel enfant de cet homme et de cette femme : naissant dans les affres d'avant le jour et demeurant, bientôt après, le seul lien du couple.

Or, c'est un trait parmi les plus importants de la conscience médiévale, et encore aussi shakespearienne, que de ressentir le monde de Dieu comme une vaste et parfaite forme au sein de laquelle les créatures participent, chaque à sa place, de la structure d'ensemble, émanation du divin ; et d'attendre d'elles, par conséquent, qu'elles réparent le tort que leur mort va faire à la plénitude cosmique en procréant des vies qui prendront leur place. Le destin de l'Être est ainsi confié à l'ardeur propre à chaque être, et cela est particulièrement vrai pour l'être humain, auquel a été donnée la liberté de choisir. Que ce dernier ait eu des enfants, et c'est déjà un signe très positif dans l'appréciation que l'on peut en faire. Qu'il n'en ait pas, il doit se sentir en dette, et s'élever par l'esprit à cette participation à la forme de l'Univers qu'il n'a pu vivre en son corps.

Macbeth ne montre rien de cette capacité de contemplation, au contraire sa peur révèle que la terre et le ciel lui sont étrangers, sa jalousie que les autres êtres sont des concurrents, des ennemis, non des proches. Que sa stérilité soit la cause ou la conséquence de son effroi devant ce qui est, ce manque d'enfants en tout cas l'aggrave, faisant de la création un lieu hostile, une énigme. Et voici donc désigné en lui, de deux façons convergentes bien que furtives, un état de séparation d'avec le tout, de repli sur soi qu'on peut du coup reconnaître comme la mauvaiseté vague mais très profonde, très périlleuse, dont a profité le démon. Shakespeare nous montre-t-il un être de violence et d'ambition effrénées, dont les crimes découleraient directement, simplement, des pulsions évidentes, et déjà maîtresses de l'âme, qu'en d'autres tragédies il a constatées chez un Richard III ou le jeune Edmond du Roi Lear *? Non, il est allé chercher plus profond, à l'origine inconsciente où le désir se corrompt à l'instant ou presque où il prend naissance : quand le mauvais choix se produit sans que ses conséquences qui seront bientôt criminelles se soient déjà dessinées. D'où l'étonnement de Macbeth, qui est comme pris de vitesse, en son propre destin, par quelqu'un qu'il ne connaît pas. Sans désir, au commencement, par crainte d'un univers dont il ne sent pas la beauté, puis emporté par un désir sombre qui n'est peut-être, toujours, que le voilement de ce vide, il reste jusqu'à la fin celui qui ne comprend pas. On se souvient de ses réflexions quand il apprend la mort de sa femme. Elles manifestent à l'évidence cette incompréhension du monde créé qui est pour le chrétien de la Renaissance le péché le plus radical :*

Éteins-toi, brève lampe !
La vie n'est qu'une ombre qui passe, un pauvre acteur
Qui s'agite et parade une heure, sur la scène,
Puis on ne l'entend plus. C'est un récit
Plein de bruit, de fureur, qu'un idiot raconte
Et qui n'a pas de sens.

Mais à ce degré de l'aliénation nous ne sommes plus, aussi bien, parmi les violents et les fourbes de l'espèce qui est commune. Une douleur passe là, la nostalgie de l'amour : le coupable a bien pu accumuler les méfaits, fuir en avant dans le crime, il n'en reste pas moins perçu par Shakespeare à un niveau si profond, si proche des pliures, des froissements de notre premier être-au-monde, que ce Macbeth incorpore l'universalité de notre condition, malgré tout : saisie en ce point mystérieux où l'on peut se choisir encore, et où pourtant il est tard, déjà, terriblement tard dans la relation à soi-même.

II

Dans Macbeth *Shakespeare est sans doute le dramaturge qui met en scène avec force la violence visible et ses desseins explicites : mais il est donc aussi, sans mots directs pour cela mais du fait de notations brèves, fondées sur des intuitions, le théologien qui s'approche de la région la plus secrète de l'âme — celle-ci restant définie, bien sûr, comme le veut la pensée chrétienne qui est son cadre de référence.*

Et si maintenant nous revenons à Roméo et Juliette, *cette œuvre qui est d'avant l'époque où Shakespeare a posé la question du mal de façon tout à fait ouverte n'en est pas moins éclairée par ce qui ressort de* Macbeth, *et sa signification se fait plus complexe. — Le problème de* Roméo et Juliette, *au premier regard, c'est celui du malheur du juste, ou du silence de Dieu. Il est vrai, se dit le penseur élisabéthain, que le péché originel a déréglé la mécanique du monde, que le cours même des astres en a perdu cette coordination harmonieuse qui eût assuré aux humains, par un jeu d'influences où les éléments, et les humeurs, ont leur rôle, un destin sans vicissitudes. Tout de même il y a vraiment trop de traverses dans la destinée de ces deux amants qui n'avaient voulu, semble-t-il, que se conformer à la grande loi de la vie, qui est celle aussi de Dieu et des mondes. Dira-t-on que le juste que le hasard a frappé a pour dure mais grande tâche de s'élever au-dessus de l'adversité ? Ces deux-là, cependant, n'ont guère le temps de se préparer à cette existence seconde, encore moins de la vivre : on dirait que le ciel veut que ce soient les meilleurs qui, à force même d'amour, finissent par n'être que désespoir et aient donc recours au suicide, lequel conduit en enfer.*

Mais de même que dans Macbeth *le coupable n'apparaît tel que dans une visée au total profonde, qui découvre le vice métaphysique sous le jeu des pulsions grossières, de même il se pourrait que dans* Roméo *les déterminations qu'on voit se marquer dans l'action ne soient que des faits de surface ; et qu'à ces maux qui ravagent deux destinées il y ait une cause qui ne serait pas le hasard, mais la difficulté d'un de ces deux êtres à l'égard du monde où il a à vivre. Roméo est-il vraiment cet amoureux dont le sentiment, conforme au vouloir de toute la création, serait éprouvé par lui si purement, si intensément que Shakespeare ne ferait qu'y référer comme on emploie une couleur franche, parmi des gris et des noirs ? En fait il est aussi, c'est l'indication insistante du premier acte, le mélancolique comme l'étudiait l'époque élisabéthaine, le triste qui avant de s'enflammer pour Juliette croyait aimer une Rosaline qui n'était pourtant qu'un mirage et, pour lui, l'alibi d'un refus du monde. Roméo ne vivait alors que la nuit, il fuyait ses amis, sa parole n'était qu'un vaste rêve qui substituait à la pratique de la réalité quotidienne la forme simplifiée d'une image. Et cela peut sembler l'intensité et la pureté mais c'est tout de même l'oubli des êtres comme ils existent, dans l'ordinaire des jours, et donc le manque de compassion, soit, en puissance, le mal.*

On va m'objecter, ceci étant dit, que ce n'est que le début de la pièce et que ce mal y guérit ensuite, avec la rencontre de Juliette et l'amour enfin partagé. Mais une lecture attentive de la tragédie révèle vite, au contraire, que Shakespeare n'a porté à la scène le récit raconté déjà par Bandello ou par Arthur Brooke qu'en y inscrivant un soupçon, lequel relève et met en relief nombre de faits qui le préoccupent. Roméo ne va chez les Capulet, ses ennemis, qu'avec le pressentiment d'un malheur, comme s'il se sentait poussé par une force néfaste, déjà active en son être même.

Cet avenir s'est signifié dans un rêve, qu'il ne pourra raconter, Mercutio lui ayant coupé la parole : si bien qu'on va être tenté de croire que ce qu'il allait nous dire, c'est ce qui a eu lieu le soir ou le lendemain, déjà à demi dessiné dans son désir inconscient. N'est-il pas, décidément, celui qui ne peut aimer que si un obstacle tient à distance — et ourle de transcendance — l'objet de son affection ? On remarquera que c'est au loin, dans la grande salle du bal, qu'est encore Juliette quand il s'enfièvre pour sa beauté, qu'il dit d'ailleurs trop grande pour cette terre ; et que c'est comme une image toujours qu'il la voit reparaître dans l'embrasure de sa fenêtre, au début de la scène du balcon. De la façon dont il évoque dans ses paroles extasiées cette belle vision nocturne, ce n'est pas la figure d'une personne réelle qui peu à peu se dégage, mais une forme cosmique, où deux grands yeux sont déjà en route pour se fixer parmi les étoiles, ce qui n'est pas sans laisser filtrer à travers cette apparence silencieuse une lumière inquiétante, annonciatrice des rêveries d'Edgar Poe. Outre cela, Roméo va se lier à Juliette par un mariage secret, qui l'aurait privé de la rencontrer dans la réalité quotidienne, et cela aussi est un mauvais signe. La possession charnelle n'est pas le contraire du rêve quand elle est réduite à rien que son acte propre par la furtivité des rencontres. Rien n'indique que Juliette n'est pas pour cette sorte d'amant une Rosaline nouvelle, qui sera preuve toujours qu'au nom de la beauté on peut dédaigner le monde, et méconnaître aussi bien ce qu'est la personne qu'on croit aimer, aux autres moments de son existence.

Or, c'est là une expérience de l'être qui, même si elle ne se sait pas une faute, ressemble à la disposition négative retrouvée par Shakespeare au début des mauvais choix de Macbeth ; et elle aussi peut donc bien avoir cette fois encore des conséquences funestes. Parier sur le rêve, en effet, jouer sur l'apparence au lieu d'affronter la présence, c'est s'engager entre réalité et mirage dans une passe difficile où l'impatience fait loi, où les actes sont plus risqués, où il est donc naturel que les hasards se fassent plus dangereux, et qu'enfin le malheur arrive. « Il l'a cherché, il l'a bien voulu », dit la sagesse des nations dans des cas semblables. Nous pouvons suspecter, quant à nous, Roméo d'avoir voulu, au profond de soi, ce qu'il a cru qu'il ne faisait que subir. Nous pouvons voir dans sa décision de suicide, prise comme frappe l'éclair, de façon tout aussi soudaine que son amour s'était déclaré, la conséquence de l'éloignement qui a toujours pour lui déformé le monde et noyé de rêves l'action, plutôt que celle de son malheur.

Et nous avons à nous dire aussi que, responsable de ce malheur, il l'est également de nombre d'autres qu'on voit advenir dans la pièce, à commencer par ceux de Juliette. Épousée en secret, exposée de ce fait à des périls tels que ce projet de mariage que son père forme pour elle et qui la jette dans des péripéties effrayantes, traumatisantes, on peut la dire volée de son destin, et penser que Roméo, dans ces conditions, l'a séduite plus qu'épousée, l'a violée bien que consentante : alors qu'une ligne de conduite tout autre restait possible, quelques indices le montrent. A plusieurs reprises Shakespeare nous laisse entendre que les querelles s'apaisent, qui divisaient les Montaigu et les Capulet. Il n'y a plus pour les relancer que la sottise des domestiques et l'orgueil de ce jeune neveu, Tybalt, dont la rêverie héroïque est un peu la répétition, sur un mode vulgaire, de ce déni des réalités qui caractérise Roméo. Quant au chef du clan Capulet, qui songe à marier sa fille, il fait l'éloge de ce dernier et le tolère même dans sa maison. Que Roméo n'a-t-il médité l'adage qui exprime l'essence du christianisme : « Frappez et l'on vous ouvrira » ? C'est par des mariages que cherchaient à finir, souvent, les antagonismes de ces époques. C'était peut-être à Roméo qu'il revenait d'accomplir avec le meilleur de son être — la confiance — cette grande réconciliation que pressentait le frère Laurent, et que réussit sa mort, mais à quel prix ? et trop tard.

III

Dans Roméo et Juliette *Shakespeare soulèverait ainsi un peu le même problème que dans* Macbeth, *répondant à une énigme semblable par la même sorte d'approche. La question, dans les deux cas, l'aporie qui trouble un esprit habitué à l'idée de la vigilance du ciel*[1], *c'est celle de ce hasard qui semble la contredire, non tant par les vicissitudes qu'il multiplie dans la vie des justes que par les pièges qu'il semble tendre sous leurs pas, et dont le démon profite. Et la réponse, c'est bien de reconnaître dans les victimes de ces hasards le fait déjà d'une faute qui délivre le ciel du reproche d'indifférence, mais c'est aussi de déceler cette faute dans une région reculée de l'âme, là où de moindres auteurs, satisfaits avec les vertus ou les vices qu'on voit dans l'action ordinaire, n'auraient pas su la chercher. Shakespeare, en somme, ne se laisse arrêter ni par l'horreur ni par la compassion, encore qu'il les éprouve. Il fait de sa force de sympathie — qui ne se refuse à aucun de ses personnages, d'où l'impression d'universalité qu'il nous donne, alors qu'il a tout de même une sensibilité bien à lui, et affirme ses opinions — l'écoute des besoins frustrés, des aspirations naïves, des aliénations encore dormantes, des morbidités qui semblent légères ; et avec les théologiens bien que sans langage de philosophe il déchiffre dans ces linéaments du rapport au monde la mystérieuse racine — la mandragore encore sans voix — de ce qui plus tard dans la vie, en des circonstances nouvelles, va apparaître le mal... Avec les théologiens mais avec le démon aussi, qui, soit dit en passant, ne fait rien d'autre. Mais c'est dans ce cas pour le pire, quand Shakespeare ne cherche à tendre à la société un miroir que pour que l'âme chrétienne,*

1. Dans *Lear,* lorsque Edgar relève le défi d'Edmond, qui pourrait douter que ce combat, décisif, verra sa victoire ? Que le juste périsse en ce jugement de Dieu est proprement impensable dans l'économie de la pièce.

sachant plus vite ses failles et par conséquent son péril, échappe à précisément ce grand ennemi. — Et il ne manque à Shakespeare, dans Roméo *ou* Macbeth, *que d'avoir suivi dans ses étapes intermédiaires le développement de ce mal dont il connaît aussi bien les conséquences les plus atroces que les origines infimes. La langue de l'intériorité n'est pas encore assez diversifiée ou admise sur la scène élisabéthaine pour qu'il ait eu la facilité de ces monologues qui sont comme des fenêtres qu'on ouvre sur les rapports de l'action et de l'inconscient. Mais dans* Hamlet *ou dans* Othello *c'est justement à ces moments de délibération tâtonnante qu'il essaie de s'attacher, que ceux-ci stagnent jusqu'à la mort dans l'ennui des journées boiteuses ou débouchent d'un coup dans l'égarement ou le crime.*

D'où cette remarque, pour finir. Face à Marlowe, par exemple, qu'il a beaucoup médité, Shakespeare demeure donc un optimiste : puisque, remontant du crime ou de l'injustice vers des états de conscience difficiles mais qu'on peut localiser, étudier, comprendre, il se refuse à conclure au non-sens radical d'aucune situation d'existence. Optimiste, le mot peut sembler bizarre dans le cas d'un poète si averti des noirceurs dont l'humanité est capable : qui sait Iago auprès d'Othello, et a conçu Richard III, dont on se demande s'il eut en venant sur terre la possibilité de choisir entre le bien et le mal. Mais Shakespeare répugne visiblement à voir dans ces quelques monstres beaucoup plus que des exceptions, sortes de contre-miracles qu'une faute antérieure explique ou un plan de la Providence, et dès qu'il le peut c'est l'idée de la liberté qu'il favorise, reconnaissant le fait originel de la Faute et sa conséquence, l'affaiblissement du vouloir humain, mais ne décrivant les nouvelles chutes que sur l'arrière-plan des vertus qui savent persévérer et des recommencements qui espèrent. Que de fois sur la scène shakespearienne l'action finit quand le jour se lève, quand l'ordre secoué, dévasté vient d'être rétabli, quand l'être est réaffirmé soit de manière soudaine, soit par l'action des forces du bien de plus en plus clairement au travail vers la fin de l'œuvre ! Il en est ainsi, pour le premier cas, dans

Roméo et Juliette ; *et pour le second, dans* Macbeth. *Le mal, chez Shakespeare, est toujours au principe de ses recherches sur le destin, mais c'est un mal relatif, découpé sur fond de clarté divine et circonvenu par la Grâce.*

Un optimisme ? Non sans pourtant une réelle inquiétude, perceptible dans l'œuvre à divers signes qui reparaissent en bien des points. Le mal n'est-il qu'un vertige devant la plénitude de l'être, va-t-il suffire pour s'en défaire de se lever, de marcher ? Mais avec quelle rapidité ce pli peu perceptible de l'âme s'est-il étendu parfois, et avec quelle ampleur de conséquences pour l'individu et l'État, sinon même pour la nature dont le désordre reflète, dans Macbeth, *dans* Jules César, *dans* Lear, *le désarroi des consciences ! Shakespeare ne s'arrête guère aux états intermédiaires, disais-je, mais c'est aussi que ses sources lui disent toutes que le désastre est là, tout de suite, sans que trace ait pu demeurer des moments qui le précédèrent dans la dégradation de ses personnages. Et cela quand tant de ceux-ci avaient paru au début si riches de dons et de vertus ! Laissons de côté maintenant Macbeth, qui ne fut jamais qu'un guerrier brutal, dans une époque encore barbare, on dirait antérieure au christianisme — et qui, de ce fait, rassurerait presque : mais Roméo ! Celui-ci, c'est la fine fleur d'une société chrétienne, où l'art, la musique, la rhétorique peuvent soutenir la conscience en lutte. Évidents sont chez lui la bonne volonté, le désir d'aimer, et jusqu'à cette beauté physique qui est encore si aisément pour l'esprit de la Renaissance le dehors de la qualité morale, de l'âme pure. Ne faut-il pas s'effrayer de voir que le mal est en lui aussi, et va tout gâter en deux jours, comme le* cankerworm, *le ver rongeur, dans la rose ?*

Shakespeare s'effraie, certainement. La preuve en est l'insistance avec laquelle, fasciné par cette contradiction, il dit à la fois la mélancolie de Roméo et son riche métal, faisant attester ce dernier, dans l'œuvre même, par ce Mercutio mélancolique aussi mais lucide, dont il y a lieu de penser qu'il représente l'auteur au cœur de sa création. Et la preuve en est plus encore la concentration de plus en plus grande de la pensée shakespea-

rienne après cette pièce sur le problème de la rupture entre l'esprit et le monde, du désaveu de la vie, de l'excarnation : c'était hier déjà le beau jeune homme dans les Sonnets *— dont la perfection ne vaut rien puisque son refus du mariage, et de procréer, dit son avarice métaphysique — et c'est, peu après Roméo, Brutus, sur la rude scène romaine, et bientôt ce sera Hamlet. Le prince de Danemark, mélancolique, douteur, scandalisé de la vie, n'est qu'un Roméo plus conscient, qui sait la faille de son amour dont Ophélie, néanmoins, sera victime autant que Juliette. La plus célèbre et moderne des tragédies de Shakespeare pose à plein le problème qui n'était encore que sous-jacent dans son récit le plus romanesque ; et le fait avec une angoisse — malgré la fin qui rétablit l'ordre — que métaphorisent dès le début la nuit froide, les murailles désertes, les préparatifs de combat, la menace de l'invisible.*

On est à la Renaissance, il ne faut pas l'oublier. La création artistique, les beaux objets, les poèmes où refleurissent les mythes, la beauté même des corps plus complètement reconnue, sont autant d'occasions de se laisser prendre à des charmes qui peuvent ne tendre qu'à l'illusoire. Le rêve s'étend, il se glisse dans la vie même, il semble gagner la partie. En philosophie, dans la vie morale, même et surtout dans des formes de l'expérience mystique la pensée néoplatonicienne, que Shakespeare rencontre chez Spenser, semble cautionner la démarche qui fait préférer le mirage, quitte à être cause du spleen *de ces jeunes hommes silencieux, assis le menton dans la main, les épaules ceintes du manteau d'encre.*

Et s'il y a eu, quand le siècle prend fin, Shakespeare, c'est-à-dire ce lieu si vaste sous un regard si profond, ce n'est pas seulement parce qu'il fallait tendre, comme il le dit, à la vertu un miroir pour qu'elle s'y mire sans complaisance — le danger n'étant plus que de n'y pas déceler ces premières morosités dont les conséquences sont vite le désespoir, la folie, le crime —, c'est parce que la confiance que l'homme médiéval savait placer dans le monde était minée, désormais, et devait donc être rétablie, ce qui demandait de sonder toutes les énigmes perçues, tous les drames qui se nouaient sous le regard du poète, toutes les formes de rêve. Le grand écrivain est celui qui sent fléchir cette foi dans le sens du monde qui assure à la société sa survie sinon son bonheur; celui qui fait de cette syncope son seul souci, dont la monotonie même, qu'il ne craint pas, lui permet d'embrasser l'immense diversité des situations et des êtres.

Yves Bonnefoy

Roméo et Juliette

La scène est à Vérone et à Mantoue.

PERSONNAGES

ESCALUS, *prince de Vérone.*

PARIS, *jeune gentilhomme, parent du prince.*

MONTAIGU
CAPULET } *chefs des maisons ennemies.*

Un vieil homme, de la famille Capulet.

ROMÉO, *fils de Montaigu.*

MERCUTIO, *parent du prince et ami de Roméo.*

BENVOLIO, *neveu de Montaigu et ami de Roméo.*

TYBALT, *neveu de Lady Capulet.*

FRÈRE LAURENT, *franciscain.*

FRÈRE JEAN, *du même Ordre.*

BALTHAZAR, *serviteur de Roméo.*

SAMSON
GRÉGOIRE } *serviteurs de Capulet.*

PIERRE, *serviteur de la nourrice de Juliette.*

ABRAHAM, *serviteur de Montaigu.*

Un apothicaire.

Trois musiciens.

Un page de Paris, un autre page, un officier de police.

LADY MONTAIGU, *épouse de Montaigu.*

LADY CAPULET, *épouse de Capulet.*

JULIETTE, *fille de Capulet.*

La nourrice de Juliette.

Des citoyens, des parents de chaque maison, des gardes, des hommes de guet, des serviteurs et autres gens de maison.

LE CHŒUR.

PROLOGUE

Entre le CHŒUR

Deux illustres maisons, d'égale dignité
Dans la belle Vérone où nous plaçons la scène,
Font dans un heurt nouveau ardre leur vieille guerre,
Souillant du sang civil le poing des citoyens.

Mais du sperme fatal de ces deux ennemis
Sont nés deux amoureux que détestent les astres,
Et leur grande infortune ensevelit enfin
Avec leurs pauvres corps les haines familiales.

L'inquiet devenir de leur funeste amour
Et l'opiniâtreté des fureurs de leurs pères
Que rien n'apaisera qu'un couple d'enfants morts,
Vont deux heures durant occuper ce théâtre,

Et si vous consentez à quelque patience,
Nos efforts suppléeront à nos insuffisances.

Il sort.

ACTE PREMIER

Scène I

Une place publique de Vérone.

Entrent SAMSON *et* GRÉGOIRE, *de la maison des Capulet, armés d'épées et de boucliers.*

SAMSON

Par ma bonne lame, Grégoire, ce n'est pas nous qui leur tiendrons la chandelle.

GRÉGOIRE

Oh, que non ! Ce serait plus propre de leur en faire voir quelques-unes.

SAMSON

Disons que s'ils nous échauffent trop, nous pourrions tirer quelque chose.

GRÉGOIRE

Ouais, quand ça chauffe trop, vaut mieux se tirer.

SAMSON

Moi, quand on m'a trop excité, c'est un coup que je porte, et vite.

GRÉGOIRE

Mais tu n'es pas très porté à être vite excité.

SAMSON

Un chien de la tribu des Montaigu, ça m'excite.

GRÉGOIRE

Autant dire, ça te secoue. Tandis que, pour être brave, faut rester droit. Donc, si on t'excite, tu te débandes.

SAMSON

Un chien de cette maison, ça m'excite à me tenir droit. Le dos au mur que je les attends, les hommes et les donzelles de Montaigu.

GRÉGOIRE

Ça montre bien que tu es minable. Car ce sont les faibles qui s'appuient.

SAMSON

C'est juste. Et c'est pourquoi les femmes, qui sont les plus faibles des vases, il faut toujours qu'on se les appuie. Bien ! J'écarterai du mur les hommes de Montaigu, et j'y appuierai ses servantes.

GRÉGOIRE

La querelle est entre nos maîtres, et aussi entre nous leurs hommes.

SAMSON

C'est tout un. Je me montrerai un tyran. Quand j'aurai combattu les hommes, je serai le bourreau des filles, et je leur ferai sauter...

GRÉGOIRE

La tête ?

SAMSON

La tête des pucelles, ou ce qui leur fait perdre la tête, ou... Prends-le dans le sens que tu voudras.

GRÉGOIRE

A celles qui le sentiront de le prendre dans le bon sens.

SAMSON

C'est moi qu'elles sentiront tant que je serai capable de tenir. Et c'est bien connu que je suis un fameux morceau de chair.

GRÉGOIRE

Tant mieux si tu n'es pas du poisson ! Sinon tu n'aurais été qu'une pauvre Jeanne Merluche. Allons, tire-moi ton instrument : car en voici deux qui viennent, de la maison Montaigu.

Entrent Abraham et un autre serviteur.

SAMSON

Mon arme à tous les vents ! Cherche-leur querelle. Je te suis.

GRÉGOIRE

Ouais ! Par derrière, pour te sauver ?

SAMSON

Sois sans crainte.

GRÉGOIRE

Oh, Sainte Vierge ! Te craindre, toi ?

SAMSON

Mettons la loi de notre côté ; qu'ils commencent !

GRÉGOIRE

En passant, je les regarderai de travers, et qu'ils le prennent comme ils voudront.

SAMSON

Comme ils oseront, dis plutôt ! Je vais leur siffloter au visage. Et s'ils supportent ça, ce sera pour eux un affront.

ABRAHAM

C'est pour nous que vous sifflotez, monsieur ?

SAMSON

C'est vrai, monsieur, je sifflote.

ABRAHAM

C'est pour nous que vous sifflotez, monsieur ?

SAMSON, *bas.*

Est-ce que la loi est pour nous, si je lui dis oui ?

GRÉGOIRE, *bas.*

Non.

SAMSON

Non, monsieur, ce n'est pas pour vous que je sifflote, monsieur, mais je sifflote, monsieur.

GRÉGOIRE

Vous nous cherchez querelle, monsieur ?

ABRAHAM

Une querelle, monsieur ? Non, monsieur.

SAMSON

Si c'est ça que vous voulez, je suis votre homme, monsieur. Mon maître vaut bien le vôtre !

ABRAHAM

Mais pas davantage !

SAMSON

Si ça vous chante, monsieur !

Entrent Benvolio d'un côté, Tybalt de l'autre.

GRÉGOIRE

Dis « davantage ». Voici un des parents de mon maître.

SAMSON

Mais si, monsieur, davantage.

ABRAHAM

Vous en avez menti.

SAMSON

Dégainez, si vous êtes des hommes ! Vite, Grégoire, ta fameuse botte, ne l'oublie pas.

Ils combattent.

BENVOLIO

Imbéciles, séparez-vous !
Rengainez ! Vous ne savez pas ce que vous faites.

TYBALT

Quoi, dégainer parmi ces poules sans coq ?
En garde, Benvolio, prépare-toi à la mort.

BENVOLIO

Je rétablis la paix, je ne fais rien d'autre. Rengaine,
Ou comme moi sers-toi de ton épée
Pour séparer cette valetaille.

TYBALT

L'épée en main, parler d'apaisement !
Je hais ce mot
Comme je hais l'enfer, tous les Montaigu et toi.
En garde, lâche !

Ils combattent. Entrent des partisans des deux maisons, qui se joignent au combat, puis trois ou quatre citoyens, avec des massues et des pertuisanes. Et un officier de police.

L'OFFICIER

Les massues, les pertuisanes, les piques !
Frappez ces gens, jetez-les à terre.
Au diable les Montaigu et les Capulet !

Entrent le vieux Capulet, en robe d'intérieur, et sa femme.

CAPULET

Qu'est-ce que tout ce bruit ? Holà,
Qu'on me donne ma grande épée !

DAME CAPULET

Des béquilles, des béquilles ! Que feriez-vous d'une épée ?

CAPULET

Mon épée, ai-je dit. Voici le vieux Montaigu,
Et il me nargue en brandissant sa rapière !

Entrent le vieux Montaigu et sa femme.

MONTAIGU

L'infâme Capulet ! Ne me retenez pas, laissez-moi combattre !

DAME MONTAIGU

Pas un pas du côté de ton ennemi !

Entre le prince Escalus[1] *avec sa suite.*

LE PRINCE

Sujets rebelles, ennemis de la paix publique,
Profanateurs d'un fer que vous souillez
Du sang de vos voisins… N'écouteront-ils pas ?
O vous, hommes, non, bêtes fauves, qui noyez
Le feu de votre rage pernicieuse
Dans les pourpres ruisseaux qui sourdent de vos veines,
Que vos sanglantes mains, — sous peine de torture ! —
Jettent au loin vos intempérantes épées,
Et entendez l'arrêt de votre prince courroucé.
Trois rixes fratricides, pour des paroles en l'air,
Par votre fait, vieux Capulet, vieux Montaigu,
Ont par trois fois troublé le calme de nos rues
Et contraint les plus vénérables, dans Vérone,
A laisser là leur belle gravité
Pour brandir dans leurs vieilles mains ces vieilles pertuisanes
Que la paix a rongées, et séparer les haines
Qui rongent votre cœur. Si jamais vous troublez
Une autre fois nos rues, c'est vos deux vies
Qui paieront leur tribut à la paix. Aujourd'hui
Retirez-vous, chacun. Vous, Capulet,

Vous m'accompagnerez. Et, Montaigu, vous-même
Vous viendrez cet après-midi à notre vieux Villefranche[2],
Notre cour de justice, pour apprendre
Quelle suite il nous plaît de donner à l'affaire.
Une fois de plus, sous peine de mort : retirez-vous.

Tous sortent, sauf Montaigu, son épouse et Benvolio.

MONTAIGU

Qui a remis au feu cette vieille querelle ?
Dites, neveu,
Quand tout a commencé, étiez-vous présent ?

BENVOLIO

Ils étaient là, les gens de votre adversaire
Et les vôtres, à se battre ferme, quand j'arrivai.
J'ai dégainé pour les séparer. Mais survint alors
L'impétueux Tybalt, et son épée nue
Qu'il faisait tournoyer devant son visage,
En me criant son défi aux oreilles
Et pourfendant les vents, qui n'en souffraient guère
Et lui sifflaient leur mépris. Comme nous échangions
Bottes et coups, des arrivants, d'autres encore
Ont pris part au combat. Puis ç'a été le prince
Qui a départagé les deux partis.

LADY MONTAIGU

Oh, où est Roméo ?
L'avez-vous vu, aujourd'hui ? Que je suis heureuse
Qu'il n'ait pas été pris dans cette bagarre !

BENVOLIO

Madame, une heure avant que le divin soleil
Ait passé l'œil aux fenêtres d'or de l'Orient,
Mon esprit en tourment m'a poussé dehors

Et là, dans le bosquet des sycomores[3]
Qui sont à l'ouest de la ville, j'ai vu
Votre fils qui allait, matinal comme moi.
Je m'approchai, mais il me devina,
Il se glissa sous le couvert des arbres
Et moi, conjecturant ses vœux d'après les miens
Qui n'aspiraient qu'aux lieux les plus solitaires
Puisque mon triste moi, ce m'est déjà trop,
Je suivis mon humeur, le confiant à la sienne,
Et le laissai, du même cœur qu'il m'avait fui.

MONTAIGU

Bien des fois le matin on l'a vu là, en effet
Grossissant de ses larmes la fraîche rosée de l'aube,
Ajoutant aux nuées du ciel celles de ses vastes soupirs.
Mais aussitôt que le soleil, joie de la terre,
Au plus lointain Orient commence d'écarter
Les rideaux vaporeux du lit de l'Aurore,
Mon triste fils fuit la lumière pour sa chambre,
S'y glisse et s'y enferme, toujours seul,
Clôt ses volets, boucle dehors le beau soleil,
Et se fabrique là une fausse nuit ! Sombre humeur,
Qui finira par lui être funeste
Si quelque bon conseil n'en chasse la cause !

BENVOLIO

En avez-vous idée, mon oncle très noble ?

MONTAIGU

Je n'en sais rien, et ne peux rien tirer de lui.

BENVOLIO

Avez-vous essayé de tous les moyens ?

MONTAIGU

Oui, moi et beaucoup d'autres de nos amis.
Mais lui, seul conseiller de son sentiment,
(Et mauvais conseiller, peut-être), le voici
En son for intérieur, aussi refermé,
Aussi impénétrable, aussi insondable
Que la fleur en bouton que le ver envieux ronge
Avant qu'elle ait ouvert ses doux pétales
Et pu offrir sa beauté au soleil.
Ah, que ne savons-nous d'où lui vient sa souffrance !
Nous aurions le désir d'y porter remède
Autant que nous l'avons de la deviner.

Entre Roméo.

BENVOLIO

Oh, voyez-le qui vient ! Veuillez vous retirer,
Je connaîtrai son mal... ou ses rebuffades.

MONTAIGU

Reste donc ; puisses-tu avoir le bonheur
D'une vraie confession. Allons-nous-en, madame...

Sortent Montaigu et sa femme.

BENVOLIO

Belle matinée, mon cousin !

ROMÉO

Le jour est-il encore si jeune ?

BENVOLIO

Neuf heures juste sonnées.

ROMÉO

Hélas, les heures tristes paraissent longues.
N'est-ce pas mon père qui vient de partir si vite ?

BENVOLIO

Lui-même. Mais qu'est-ce donc que cette tristesse
Qui allonge les heures de Roméo ?

ROMÉO

Ne pas avoir ce qui les rend trop brèves,
Dès qu'on le tient.

BENVOLIO

Amoureux ?

ROMÉO

Dépourvu...

BENVOLIO

D'amour ?

ROMÉO

Des faveurs de celle que j'aime.

BENVOLIO

Las ! se peut-il qu'Amour, si doux d'aspect,
Se révèle à l'épreuve un tyran si rude !

ROMÉO

Hélas ! Comment fait-il, Amour, les yeux bandés,
Pour suivre les chemins où son désir le porte ?
Où allons-nous dîner ? Ah, diable ! Quel combat
Y a-t-il eu, ici ?... Mais ne m'explique rien,
Car j'ai tout entendu. Beaucoup de haine
Ici, mais plus d'amour encore... Oh, pourquoi, pourquoi,
Cet amour querelleur ! Cette haine amoureuse,
Ce tout créé d'un rien ! Légèreté pesante,
Sérieuse vanité, innommable chaos

Des formes les plus belles, plume de plomb,
Lumineuse fumée, feu froid, santé malade,
Sommeil qui toujours veille et n'est point ce qu'il est.
Je ressens cet amour, sans y trouver d'amour...
Tu ne ris pas ?

BENVOLIO

Non, mon cousin, plutôt je pleurerais.

ROMÉO

Noble cœur ! Et pourquoi ?

BENVOLIO

Du fardeau qui accable ton noble cœur.

ROMÉO

Ah, voilà bien les empiétements de l'amour !
Mes souffrances déjà pèsent lourdement sur mon cœur
Et, en les surchargeant de ces autres, les tiennes,
Tu viens les aggraver ! Cet amour que tu me prodigues
Ajoute encore à l'excès de mes maux.
L'amour est la fumée qu'exhalent nos soupirs.
Purifié, c'est un feu dans les yeux des amants,
Contrarié, une mer que grossissent leurs larmes.
Qu'est-il encore ? Une folie très sage,
Un fiel qui nous étouffe, un baume qui nous sauve.
Au revoir, mon cousin.

BENVOLIO

Doucement ! Je vais avec toi.
M'abandonner ainsi, c'est me faire offense !

ROMÉO

Bah, je me suis abandonné moi-même,
Je ne suis pas ici... Ce n'est pas Roméo.
Il est quelque autre part...

BENVOLIO

Plus de plaisanteries : qui aimes-tu ?

ROMÉO

Faudrait-il des sanglots pour te l'avouer ?

BENVOLIO

Des sanglots ? Certes pas
Mais ne plaisante plus, et dis-moi qui.

ROMÉO

Demande à un malade de préparer
Son testament sans plaisanteries ! Mot malheureux
A l'adresse d'un malheureux ! Sans plaisanter ?
J'aime, cousin... une femme.

BENVOLIO

Je l'avais presque pensé en te voyant amoureux.

ROMÉO

Tu vises bien. Et celle que j'aime est belle.

BENVOLIO

Qui vise belle cible, cousin, la touche vite.

ROMÉO

Eh bien, tu l'as manquée. Car celle-là
Ne sera pas touchée par les flèches du dieu d'amour.
Elle a de Diane l'âme sage et, défendue
Par sa cuirasse impénétrable, la chasteté,
Elle vit sans souffrir des traits débiles
De l'enfant Cupidon. Les mots d'amour,
Elle se dérobe à leur siège. Les regards meurtriers,
Elle en repousse l'assaut. L'or qui vaincrait une sainte,

Elle lui ferme son sein. Oh, elle est riche de sa beauté
Bien que pauvre, c'est vrai, puisqu'à sa mort
Tout son bien périra avec sa beauté.

BENVOLIO

Elle a donc fait serment de vivre chaste ?

ROMÉO

Oui, et gaspille beaucoup dans cette avarice,
Puisque de sa beauté, que sa rigueur épuise,
Sera privée toute descendance à venir.
Elle est trop belle et trop sage, et belle trop sagement !
Pour mériter le ciel par mon désespoir
Elle a fait le serment de ne pas aimer. Et ce vœu
Me fait ce mort vivant, qui ne vit que pour te le dire.

BENVOLIO

Laisse-moi te guider. Oublie de penser à elle.

ROMÉO

Bon, apprends-moi comment on oublie de penser.

BENVOLIO

En rendant à tes yeux leur liberté.
Reconnais la beauté d'autres créatures.

ROMÉO

C'est le moyen, puisqu'elle est si exquise,
De penser à la sienne d'autant plus !
Ces heureux masques, qui baisent sur le front les jolies jeunes
femmes,
C'est parce qu'ils sont noirs qu'on croit qu'ils cachent des lys.
Et cet homme soudain aveugle, oubliera-t-il
Le trésor de ses yeux perdus ? Ah, mon cher, montre-moi

Une amante parfaite. Que me sera
Sa beauté, sauf un mémento, où je pourrai lire
Celle qui éclipsait toute perfection ? Au revoir,
Tu ne pourras m'apprendre à oublier.

BENVOLIO

Je te l'enseignerai, sinon je mourrai en dette.

Ils sortent.

Scène II

Quelques heures plus tard.

Entrent CAPULET, *le comte* PARIS *et un serviteur.*

CAPULET

Mais Montaigu est frappé comme moi,
Et des mêmes sanctions ! Il ne devrait pas être bien difficile
A des vieux comme nous de rester en paix.

PARIS

On vous sait tous les deux des hommes d'honneur.
C'est grand dommage, une aussi longue brouille...
Mais, monseigneur,
Quelle est votre réponse à ma requête ?

CAPULET

Je ne puis que vous répéter que mon enfant
Est encore étrangère à la vie du monde.
Elle n'a pas franchi le cap de ses quatorze ans.

Laissons encore deux étés se racornir dans leur gloire
Avant de décider qu'elle est mûre pour le mariage.

PARIS

De plus jeunes ont fait d'heureuses mères, déjà.

CAPULET

Et si vite fanées, ces mères trop jeunes !
La terre a englouti tous mes espoirs
Sauf elle, dont j'attends qu'elle hérite mes biens.
Mais faites-lui la cour, noble Paris, gagnez son cœur.
Ma volonté se plie à son assentiment
Et si elle dit oui, c'est à son choix
Qu'ira ma voix consentante et heureuse.
Selon le vieil usage, j'offre une fête ce soir,
Et j'y convie bon nombre d'invités
Que désigne mon cœur ; soyez-en un de plus,
Vous êtes parmi eux le très bienvenu.
Dans ma pauvre demeure, attendez-vous
A voir passer sur terre les étoiles
Et briller le ciel sombre. Toutes les joies
Que ressentent les jeunes hommes riches de sève
Quand vient le sémillant avril sur les talons
De ce boiteux, l'hiver, oui, ces délices,
Vous les éprouverez ce soir chez moi, parmi
Les jeunes femmes en fleur. Écoutez-les, et toutes,
Regardez-les, et choisissez d'aimer
La plus digne d'amour. Car, mieux connue,
Ma fille dans leur nombre pourrait compter
Sans faire votre compte... Allons, venez ! Et toi,

Au serviteur.

Maraud, va clopinant dans la belle Vérone
Me trouver ces personnes dont les noms,

Vois, sont écrits ici. Tout à leur bon plaisir
Est mon logis, dis-leur, et ma bienvenue.

Sortent Capulet et Paris.

LE SERVITEUR

Me trouver ceux dont les noms sont écrits ici ! Il est écrit que le cordonnier doit se servir de son aune, et le tailleur de son tire-pied, et de son pinceau le pêcheur, et le peintre de ses filets. Mais moi, on m'envoie trouver ces personnes dont le nom est écrit ici, et je ne peux pas même trouver quels noms a écrits la personne qui a écrit ! Ce qu'il faut que je trouve, c'est un savant... Oh, à merveille !

Entrent Benvolio et Roméo.

BENVOLIO

Bah, mon ami, un feu éteint un autre feu,
Une douleur est amoindrie par de nouvelles souffrances,
Tourne jusqu'au vertige, et tu iras mieux
En tournant à rebours ; une peine désespérée
Guérit dans les langueurs d'un désespoir autre.
Infecte ton regard d'un venin nouveau,
Et le premier perdra sa force maligne.

ROMÉO

La feuille du plantain est souveraine pour ça ?

BENVOLIO

Pour quoi, s'il te plaît ?

ROMÉO

Pour les jambes cassées.

BENVOLIO

Diable, Roméo, es-tu fou ?

ROMÉO

Pas fou, mais mieux ligoté qu'aucun fou.
Bouclé dans un cachot, gardé sans nourriture,
Fouetté, tourmenté... Bien le bonsoir, mon brave !

LE SERVITEUR

Dieu vous le rende, monsieur ! S'il vous plaît, sauriez-vous pas lire ?

ROMÉO

Oui, mon destin, dans mon infortune.

LE SERVITEUR

Peut-être bien que ça, vous l'avez appris sans les livres ! Mais, s'il vous plaît, est-ce que vous pouvez lire tout ce qu'on vous met sous les yeux.

ROMÉO

Oui, ma foi, si j'en sais la langue, et l'alphabet.

LE SERVITEUR

C'est honnêtement répondu. Le ciel vous ait en sa joie !

Il s'éloigne.

ROMÉO

Reste, mon ami, je sais lire.

Il lit.

« Le seigneur Martino, son épouse et ses filles,
Le comte Anselme et ses charmantes sœurs,
La noble dame, veuve de Vitruvio,
Le seigneur Placentio et ses jolies nièces,
Mercutio et son frère Valentin,
Mon oncle Capulet, sa femme et ses filles,

Ma belle nièce Rosaline, avec Livia,
Le seigneur Valentio et son cousin Tybalt,
Lucio, et la turbulente Héléna. »
Une belle assemblée. Où faudrait-il qu'ils aillent ?

LE SERVITEUR

Là-haut.

ROMÉO

Où donc, là-haut ?

LE SERVITEUR

A souper ; dans notre maison.

ROMÉO

Quelle maison ?

LE SERVITEUR

Celle de mon maître.

ROMÉO

C'est vrai que j'aurais dû te demander quel est celui-ci, tout de suite.

LE SERVITEUR

Je vous le dirai maintenant sans que vous m'en fassiez demande. Mon maître, c'est le grand, c'est le richissime Capulet ; et, à moins que vous ne soyez de la maison Montaigu, je vous prie de venir chez nous siffler un verre de vin. Le ciel vous garde en sa joie !

Il sort.

BENVOLIO

A ce festin traditionnel des Capulet
Soupe la belle Rosaline, celle que tu aimes si fort,

Et toutes les beautés fameuses de Vérone.
Vas-y, et d'un regard sans préjugé
Compare son visage à certains que je te dirai.
Je veux te faire voir un corbeau dans ton cygne.

ROMÉO

Si la dévote religion de mes regards
Admet pareille fausseté, que mes larmes deviennent flammes,
Et que ces yeux, si souvent noyés sans qu'ils meurent,
Clairement hérétiques soient brûlés
Pour m'avoir tant menti. Une femme plus belle que mon amour !
Le soleil qui contemple tout n'a jamais vu son égale
Depuis l'aube de l'univers !

BENVOLIO

Bah, tu l'as trouvée belle pour l'avoir un jour trouvée seule,
Et à elle seule opposée dans la balance de tes deux yeux.
Mais cet objet de ton amour, sur ces plateaux de cristal,
Confronte-le à telle ou telle des jeunes femmes
Que je te montrerai ce soir, brillantes dans la fête,
Et tu estimeras tout juste passable
Ce que tu croyais le meilleur.

ROMÉO

J'irai, mais non pour voir ce que tu me dis.
Je veux me délecter des charmes de ma belle.

Ils sortent.

Scène III

La demeure des Capulet.

Entrent LADY CAPULET *et la* NOURRICE.

LADY CAPULET

Où est ma fille, nourrice ? Demande-lui de venir.

LA NOURRICE

Eh ! par le pucelage de mes douze ans,
Je lui ai dit de venir. Hou, hou, mon agneau,
Ma coccinelle chérie ! A Dieu ne plaise,
Où qu'elle est donc, cette enfant ? Hou hou ! Juliette !

Entre Juliette.

JULIETTE

Quoi, qui m'appelle ?

LA NOURRICE

Votre mère.

JULIETTE

Madame, me voici. Que désirez-vous ?

LADY CAPULET

Ceci... mais laisse-nous un instant, nourrice,
Nous avons à parler... Ah, non, reviens,
J'ai une idée meilleure, assiste à notre entretien.
Tu sais que ma petite fille est déjà grandette.

LA NOURRICE

Oh, Dieu ! Je peux vous dire son âge à une heure près.

LADY CAPULET

Elle n'a pas quatorze ans.

LA NOURRICE

Quatorze de mes dents, que je parierais,
Sauf que je n'en ai plus que quatre, et c'est bien dommage,
Qu'elle n'a pas quatorze ans ! Combien de journées encore
Avant la Saint-Pierre-aux-liens ?

LADY CAPULET

Une quinzaine, un peu plus peut-être.

LA NOURRICE

Un peu plus ou pas un peu plus, la veille au soir
De ce grand jour de la Saint-Pierre, elle va avoir quatorze ans.
Elle et Suzanne — âmes chrétiennes, que Dieu les sauve ! —
Elles avaient le même âge. Bien, ma Suzanne
Est avec Dieu. Elle était trop bonne pour moi. Bien... Je disais
Qu'à la veille de la Saint-Pierre elle va avoir quatorze ans.
Elle les aura, par la Vierge ! Je m'en rappelle si bien !
Cela fait onze ans maintenant qu'a tremblé la terre,
Et je l'avais sevrée, je ne l'oublierai jamais,
Tout juste ce jour-là parmi tous ceux de l'année.
Oui, j'avais mis de l'absinthe sur mon tétin,
J'étais assise au soleil sous la muraille du pigeonnier,
Et vous, madame, et monseigneur étiez allés à Mantoue.
Ah, j'ai toute ma tête ! Bon, je disais,
Quand elle eut rencontré l'absinthe, sur le bout
De mon tétin, et trouvé que c'était amer, oh, la coquine,

Il fallait la voir en colère, qui rabrouait le téton !
Bien. « Secoue-toi », dit le pigeonnier. Pas nécessaire, je vous le jure,
Qu'il me le dise deux fois ! Et depuis lors
Onze ans se sont passés. Elle pouvait, déjà,
Se promener toute seule. Sainte croix !
Elle savait déjà, clopinant, se fourrer partout.
La preuve, c'est que, la veille, elle s'était abîmé le front,
Et mon pauvre mari — Dieu ait son âme,
Il aimait la plaisanterie — la releva.
« Alors, qu'il dit, c'est sur la figure que tu tombes ?
Tu tomberas sur le dos quand tu auras plus d'esprit.
Pas vrai, petite Julie ? » Par Notre-Dame !
La petite friponne s'arrête net de pleurer
Et lui répond : « Ah, oui ! » Et maintenant...
Voyez quel à-propos dans un mot pour rire !
Ah, je vous le promets, je vivrais mille ans
Que je ne l'oublierais jamais. « Pas vrai, petite Julie ? »
Et elle, la friponne, qui s'arrête net et dit « oui » !

LADY CAPULET

Allons, assez là-dessus. Tiens ta langue.

LA NOURRICE

Oui, madame. Et pourtant, je ne peux m'empêcher de rire
A l'idée qu'elle a cessé de pleurer et lui a dit « oui ».
Car je vous garantis qu'elle avait au front
Une bosse aussi grosse qu'une couille de jeune coq.
Un coup terrible, elle en sanglotait de tout son corps.
« Alors, qu'il dit, mon mari, c'est sur la figure que tu tombes ?
Tu tomberas sur le dos quand le jour en sera venu.
Pas vrai, petite Julie ? » Elle s'arrête net et dit « oui ».

JULIETTE

Arrête-toi aussi, je t'en prie, nourrice.

LA NOURRICE

Bien, j'ai fini. Dieu te garde en sa sainte grâce,
Toi qui fus le plus beau bébé que j'aie jamais eu à nourrir.
Oh, si je vis assez pour te voir mariée
Tous mes vœux seront accomplis.

LADY CAPULET

Vierge Marie ! C'est justement de mariage
Que je voulais parler ! Dis-moi, mon enfant, Juliette,
Te sens-tu quelque inclination pour le mariage ?

JULIETTE

C'est un honneur auquel je ne rêve pas.

LA NOURRICE

Un honneur ! Si je n'étais pas ta seule nourrice,
Je dirais que tu as bu la sagesse avec le lait.

LADY CAPULET

Eh bien, il faut y songer. De plus jeunes que toi,
Dames fort estimées ici à Vérone,
Sont des mères déjà ! Et, si je ne me trompe,
Je fus la vôtre à peu près à cet âge
Où vous êtes encore fille... Mais en bref :
Le valeureux Paris vous voudrait pour femme.

LA NOURRICE

Oh, quel homme, ma jeune dame ! Un, ma maîtresse,
Que l'univers entier... Ma parole, il est fait au moule[4] !

LADY CAPULET

Tout l'été de Vérone n'offre pas de fleur comparable.

LA NOURRICE

Oui, c'est vrai, une fleur, une vraie fleur.

LADY CAPULET

Qu'en dites-vous ? Pourriez-vous aimer ce seigneur ?
Ce soir, vous le verrez à notre fête.
Lisez le livre de son visage, et les délices
Que la beauté y trace de sa plume.
Observez de ses traits l'harmonieux mariage,
Avec quel naturel ils se prêtent vie,
Et ce qui est obscur dans ce beau volume
Déchiffrez-le dans les marges, que sont ses yeux.
Ce précieux livre d'amour, cet amant sans reliure encore,
N'ont besoin, pour leur perfection, que d'être couverts.
Or, comme le poisson est heureux du fleuve
Sache qu'il est glorieux, pour la beauté visible
D'étreindre une beauté plus cachée... Pour beaucoup
Le volume qui tient dans ses fermoirs d'or
Une histoire dorée, en partage la gloire,
Et vous aussi, vous partagerez ce qu'il a,
Et en le possédant, ne serez pas diminuée.

LA NOURRICE

Diminuée ! Les femmes en augmentent plutôt, des hommes !

LADY CAPULET

En bref, feras-tu bon accueil à son amour ?

JULIETTE

Je verrai à l'aimer, si voir incite à l'amour.
Mais sans que mes regards le percent plus fort
Que vous ne permettrez à l'arc qui les lance.

Entre un serviteur.

LE SERVITEUR

Madame, les invités sont là, le souper est servi, on vous appelle, on demande ma jeune maîtresse, on maudit la nourrice à l'office, tout va mal. Il faut que j'aille servir. Suivez-moi vite, je vous en prie.

LADY CAPULET

Nous te suivons... Le comte t'attend, Juliette.

LA NOURRICE

Va, ma fille, quérir d'heureuses nuits pour tes heureux jours.

Elles sortent.

Scène IV

Devant la demeure des Capulet.

Entrent ROMÉO, MERCUTIO, BENVOLIO *et cinq ou six autres masques ; des hommes portent des torches.*

ROMÉO

Dites, va-t-on leur dire ce préambule
Ou pousser de l'avant sans cérémonie ?

BENVOLIO

C'est démodé, tout ce bavardage. Pour notre entrée,
Nous n'arborerons pas de Cupidon, les yeux bandés d'une écharpe,
Portant l'arc des Tartares, de bois peint,
Effarouchant les dames comme un chasseur de corbeau,
Ni de prologue su par cœur, débité d'une voix mourante,
Sous la protection du souffleur !

Qu'ils nous mesurent à l'aune qui leur plaira,
Nous danserons quelques mesures, et partirons.

ROMÉO

Passez-moi une torche. La cabriole ne me dit rien,
Et sombre comme je suis, je porterai la lumière.

MERCUTIO

Mais non, tendre Roméo, vous danserez, il le faut.

ROMÉO

Non, croyez-moi. Vous avez des souliers de bal,
Des ailes au talon ; moi, j'ai du plomb dans l'aile,
Je suis rivé au sol, je ne puis bouger.

MERCUTIO

Vous êtes amoureux. Prenez les ailes d'Éros,
Élancez-vous plus haut que nos bonds vulgaires.

ROMÉO

Je ressens trop l'élancement de ses atteintes,
Pour m'élancer sur ses ailes légères,
Et bondé que je suis de malheurs, je ne puis
Bondir plus haut que leur morne tristesse.
Je meurs sous l'accablant fardeau de mon amour.

MERCUTIO

C'est plutôt lui qui porterait votre fardeau
Si vous mouriez en lui — et ce serait
Presser un peu trop fort chose si tendre…

ROMÉO

L'amour, une chose tendre ? C'est bien trop dur,
C'est un dard bien trop pénétrant, brutal, fougueux.

MERCUTIO

S'il est dur avec vous, soyez-le autant avec lui,
Percez l'amour qui vous perce, possédez-le...
Moi, qu'on me donne un étui pour y fourrer mon visage,
Un masque pour le masque ! Peu me chaut
Qu'un œil curieux commente mes laideurs.
Voici les gros sourcils qui rougiront pour moi.

Il met un masque.

BENVOLIO

Allons, frappons, entrons ; et, sitôt entrés,
Que chacun d'entre nous s'en remette à ses jambes.

ROMÉO

Et pour moi cette torche ! Oh, galants, jolis cœurs,
Taquinez de votre talon le pavement insensible.
Moi, qui suis fagoté comme le vieux proverbe,
Je tiendrai la chandelle et regarderai.
Quand la fête battait son plein, Roméo s'en fut.

MERCUTIO

Bah, qu'il s'en foute, comme dirait le gendarme !
Si tu es fou, nous te tirerons de la fosse
De cet amour pudibond, où tu t'es fourré
Jusqu'au-dessus des oreilles. Allons, nous brûlons nos torches
Quand il fait jour.

ROMÉO

Pas que je sache.

MERCUTIO

Je veux dire, monsieur,
Que nous les gaspillons, en nous attardant,

Comme s'il faisait jour. Comprenez l'intention subtile
Que nous mettons dans les mots. Car c'est là que notre bon sens
Est cinq fois plus aigu que dans nos cinq autres sens.

ROMÉO

Aller à ce bal masqué, c'est une intention subtile,
Mais ce n'est pas du bon sens.

MERCUTIO

Pourquoi, peut-on savoir ?

ROMÉO

J'ai fait un rêve la nuit passée.

MERCUTIO

Et moi aussi.

ROMÉO

Ah, quel était le vôtre ?

MERCUTIO

C'était que ceux qui rêvent
Sont de mauvais coucheurs [5].

ROMÉO

Ce sont de mal couchés ! Encore
Que ce soit dans le lit de la vérité.

MERCUTIO

Vrai ? Alors je vois bien que la reine Mab [6]
Vous a rendu visite, l'accoucheuse
Des songes parmi les fées ! Elle qui vient,
Pas plus volumineuse qu'une agate

A un index d'échevin, derrière un attelage
D'infimes créatures, se poser
Au bout du nez des hommes dans leur sommeil.
Son chariot est la coque d'une noisette
Aménagée par un écureuil-menuisier
Ou l'un de ces vieux vers qui trouent le bois,
L'un et l'autre depuis le fond des âges
Les carrossiers des fées. Les rayons de ses roues
Sont faits de longues pattes de faucheux,
La capote, d'un élytre de sauterelle,
Les guides, des toiles les plus fines de l'araignée,
Les colliers, des iridescences humides du clair de lune,
Le fouet, d'un os de grillon, et sa mèche,
C'est un fil de la Vierge. Et le cocher,
Un moucheron de petite taille, au manteau gris,
Qui n'est pas la moitié du petit ver rond
Que l'on extrait du doigt des filles flemmardes.
Voici dans quelle pompe elle va nuit après nuit
Au galop dans la tête des amoureux, et alors ils rêvent d'amour,
Sur les genoux des courtisans, qui rêvent aussitôt de courbettes,
Sur les doigts des hommes de loi, qui rêvent aussitôt d'honoraires,
Sur les lèvres des dames, qui rêvent aussitôt de baisers,
Mais que Mab irritée afflige souvent de cloques,
Car leur haleine empeste les sucreries.
Parfois elle galope sur les narines d'un courtisan
Et il rêve qu'il flaire une bonne place à briguer.
Parfois, avec la queue d'un cochon de dîme,
Elle vous chatouille le nez d'un curé qui dort,
Et en rêve il reçoit de nouveaux bénéfices.
Parfois elle voyage sur le cou d'un homme de guerre,
Il rêve qu'il égorge ses ennemis
Et de brèches et d'embuscades, de lames d'acier d'Espagne,

De rasades profondes de cinq brasses ; mais elle
Bat le tambour à ses oreilles, et il sursaute,
Se réveille, et tout apeuré, marmonne une ou deux prières
Puis se rendort. C'est toujours cette reine Mab
Qui embrouille la nuit le crin des chevaux
Et noue dans les cheveux des souillons crasseuses
Ces petites touffes démones
Qu'il est funeste de démêler. Ah, la sorcière,
C'est elle, quand les filles sont étendues sur le dos,
Qui vient peser sur elles, et la première
Leur enseigne comment soutenir la charge,
Faisant d'elles des femmes de bon maintien !
C'est elle encore...

ROMÉO

Ah, Mercutio, suffit !
Tu parles d'un néant...

MERCUTIO

Il est vrai, c'est de rêves,
Lesquels sont les enfants de l'esprit oisif,
Engendrés par la seule et vaine fantaisie
Qui est aussi impalpable que l'air
Et bien plus inconstante encore que la brise
Qui vient de caresser le sein glacé du pôle,
Puis, dépitée, le fuit d'une saute, tournant
Son flanc vers le midi ruisselant de rosée !

BENVOLIO

Cette brise dont vous parlez
Nous emporte loin de nous-mêmes. Le souper
Est fini. Nous allons arriver trop tard.

ROMÉO

Bien trop tôt, je le crains. Car mon âme redoute
Qu'un avenir, enclos encore dans les astres,

Commence amèrement ses heures funestes
Dans les joies de ce soir, et marque le terme,
Par le vil châtiment d'une mort précoce,
De la vie méprisée qu'abrite mon cœur !
Soit ! Que celui qui tient la barre de mes jours
Dirige aussi ma voile !... Allons, ô beaux amis !

BENVOLIO

Battez, les tambours.

Ils entrent.

Scène V

Une salle de la demeure de Capulet.

Entrent des SERVITEURS, *avec des serviettes.*

LE PREMIER SERVITEUR

Où est donc Casserole, qu'il ne m'aide pas à desservir ? Ce n'est pas lui qui emporterait une assiette ! Lui, récurer une assiette ? Allons donc !

LE SECOND SERVITEUR

Quand les bonnes façons ne reposent plus qu'entre les mains d'un homme ou deux, et quand par-dessus le marché ce sont des mains sales, eh bien, c'est du propre !

LE PREMIER SERVITEUR

Enlevez les tabourets, poussez le buffet (mais attention à l'argenterie !)... Toi, mon ami, mets-moi de côté du massepain. Et si tu m'aimes, dis au portier de laisser entrer Suzon la rémouleuse et Nelly... Antoine ! Casserole !

LE TROISIÈME SERVITEUR

Voilà, voilà, j'arrive.

LE PREMIER SERVITEUR

On vous attend dans la salle, on vous y demande, on vous y appelle, on vous y réclame !

LE QUATRIÈME SERVITEUR

Impossible d'être partout à la fois ! Courage, mes enfants. Allons, secouez-vous un peu, c'est le survivant qui décrochera la timbale.

Les serviteurs se retirent. Entrent Capulet, Juliette et tous leurs invités ; ils se portent à la rencontre des masques.

CAPULET

Messieurs ? Soyez les bienvenus ! Celles dont les pieds
Ne sont pas affligés de cors vont vous faire faire
Un petit tour de danse. Ah, mes amies,
Laquelle d'entre vous va se refuser ?
Que l'une fasse la mijaurée et je donnerai ma parole
Qu'elle a des cors ! Je vous tiens, n'est-ce pas ?
Les bienvenus, messieurs ! Il fut un temps
Où moi aussi j'ai porté le masque, et où j'ai pu dire
Quelque chose de chuchoté à l'oreille des belles dames,
Quelque histoire à leur goût. C'est fini, fini, bien fini.
Les bienvenus, messieurs ! Allons, jouez, musiciens,
Et de la place, de la place ! Jouez du talon, jeunes filles.

Les musiciens jouent et l'on danse.

Encore des lumières, marauds ! Retournez les tables
Et éteignez le feu, il commence à faire trop chaud.

Eh, mon vieux, ce divertissement qu'on n'attendait pas
Arrive bien à propos. Asseyez-vous donc, prenez place,
Mon bon cousin Capulet. Vous comme moi,
Nous avons laissé loin nos années dansantes.
Combien de temps, d'après vous, depuis la dernière fois
Que vous et moi fûmes sous un masque ?

LE DEUXIÈME CAPULET

Par Notre-Dame ! Trente ans.

CAPULET

Oh, mon ami, pas tant, pas tant que cela.
Cela remonte au mariage de Lucentio.
La Pentecôte a beau revenir aussi vite que ça lui chante,
Cela ne fait que vingt-cinq ans, notre dernier masque.

LE DEUXIÈME CAPULET

Plus, mon cher, beaucoup plus.
Son fils a plus que cela,
Son fils a déjà trente ans.

CAPULET

Que me contez-vous là ?
Son fils était mineur il y a deux ans.

ROMÉO, *à un serviteur.*

Quelle est cette dame, là-bas,
Qui enrichit la main de ce cavalier ?

LE SERVITEUR

Je ne sais pas, monsieur.

ROMÉO

Oh, elle enseigne aux torches à briller clair !
On dirait qu'elle pend à la joue de la nuit

Comme un riche joyau à une oreille éthiopienne.
Beauté trop riche pour l'usage, et trop précieuse
Pour cette terre ! Telle une colombe de neige
Dans un vol de corneilles, telle là-bas
Est parmi ses amies cette jeune dame.
Dès la danse finie, je verrai où elle se tient
Et ma main rude sera bénie d'avoir touché à la sienne.
Mon cœur a-t-il aimé, avant aujourd'hui ?
Jurez que non, mes yeux, puisque avant ce soir
Vous n'aviez jamais vu la vraie beauté.

TYBALT

Celui-ci, si j'en juge d'après sa voix,
Doit être un Montaigu. Ma rapière, petit !
Comment ce misérable peut-il oser
Venir ici, sous un masque grotesque,
Dénigrer notre fête et se moquer d'elle ?
Vrai, par le sang et l'honneur de ma race,
Si je l'égorge sur place, je n'y verrai pas un péché !

CAPULET

Eh, qu'y a-t-il, mon neveu ?
Pourquoi tempêtez-vous comme cela ?

TYBALT

Un Montaigu est ici, mon oncle ! Un de nos ennemis.
Un traître qui se glisse ici par bravade
Pour dénigrer notre réception de ce soir.

CAPULET

C'est le jeune Roméo, n'est-ce pas ?

TYBALT

Lui-même, le misérable Roméo.

CAPULET

Calme-toi, cher neveu, laisse-le en paix.
Il se conduit en parfait gentilhomme,
Et c'est la vérité que Vérone est fière de lui
Comme d'un jeune seigneur vertueux et bien éduqué.
Je ne voudrais, pour tout l'or de la ville,
Qu'il lui soit fait outrage dans ma maison :
Donc, retiens-toi, ne fais pas attention à lui.
Telle est ma volonté. Et si tu la respectes
Tu vas paraître aimable et chasser ces plis de ton front
Qui ne conviennent pas à un soir de fête.

TYBALT

Que si, puisqu'un pareil coquin
Est là, parmi nos hôtes ! Je ne le supporterai pas.

CAPULET

Vous le supporterez ! Quoi, mon petit monsieur,
N'ai-je pas dit qu'il en sera ainsi ? Ah, diable,
Qui est le maître ici, vous ou moi ? Allons donc,
Vous ne supporteriez... Dieu accueille mon âme !
Vas-tu porter l'émeute parmi mes hôtes ?
Tout chambarder ? Jouer au fier-à-bras ?

TYBALT

Mais, mon oncle, c'est une honte.

CAPULET

Allons, allons,
Tu es un insolent, ne le vois-tu pas ?
De ces manières-là il pourrait t'en cuire, je te le dis.
Tu veux me contrarier, bien sûr. Ah, Dieu, c'est le moment !

Aux danseurs.

Bravo, mes jolis cœurs !... Va, tu n'es qu'un blanc-bec.
Tiens-toi tranquille, sinon... Plus de lumière, que diable,

Plus de lumière !... Sinon, oui, je saurai bien t'y contraindre.
Allons, amusez-vous, mes jolis cœurs !

TYBALT

Cette patience obligée se heurte à mon ardente colère
Et mes membres frémissent de ce combat.
Je vais me retirer ; mais cette intrusion
Qui maintenant leur semble inoffensive
Tournera vite au fiel le plus amer.

Il sort.

ROMÉO, *à Juliette.*

Si j'ai pu profaner, de ma main indigne,
Cette châsse bénie, voici ma douce pénitence :
Mes lèvres sont toutes prêtes, deux rougissants pèlerins,
A guérir d'un baiser votre souffrance.

JULIETTE

Bon pèlerin, vous êtes trop cruel pour votre main
Qui n'a fait que montrer sa piété courtoise.
Les mains des pèlerins touchent celles des saintes,
Et leur baiser dévot, c'est paume contre paume[7].

ROMÉO

Saintes et pèlerins ont aussi des lèvres ?

JULIETTE

Oui, pèlerin, qu'il faut qu'ils gardent pour prier.

ROMÉO

Oh, fassent, chère sainte, les lèvres comme les mains !
Elles qui prient, exauce-les, de crainte
Que leur foi ne devienne du désespoir.

JULIETTE

Les saints ne bougent pas, même s'ils exaucent les vœux.

ROMÉO

Alors ne bouge pas, tandis que je recueille
Le fruit de mes prières. Et que mon péché
S'efface de mes lèvres grâce aux tiennes.

Il l'embrasse.

JULIETTE

Il s'ensuit que ce sont mes lèvres
Qui portent le péché qu'elles vous ont pris.

ROMÉO

Le péché, de mes lèvres ? Ô charmante façon
De pousser à la faute ! Rends-le-moi !

Il l'embrasse à nouveau.

JULIETTE

Il y a de la religion dans vos baisers.

LA NOURRICE

Madame, votre mère voudrait beaucoup vous parler.

ROMÉO

Qui est sa mère ?

LA NOURRICE

Par Notre-Dame, jeune homme,
Sa mère est la maîtresse de la maison
Et c'est une digne dame, aussi sage que vertueuse ;
Quant à moi j'ai nourri sa fille, à qui vous parliez,
Et laissez-moi vous dire que celui qui l'attrapera
Aura aussi les gros sous.

ROMÉO

Elle, une Capulet ?
Ô coûteuse créance !
Ma vie est au pouvoir de mon ennemi.

BENVOLIO

Partons. Nous avons eu le meilleur.

ROMÉO

Oui, je le crains ; le surplus sera ma souffrance.

CAPULET

Oh, non, messieurs, ne songez pas à partir !
Nous allons faire une ombre de souper,
Un rien... Vous êtes résolus ? Alors, merci,
Merci à tous, dignes seigneurs, et bonne nuit.
Des torches par ici, d'autres torches. Vite !

On apporte des torches.

Et toi, mon vieux, au lit. Par Dieu, il se fait tard.
Je vais me reposer.

Tous sortent, sauf Juliette et la nourrice.

JULIETTE

Nourrice, viens. Quel est ce gentilhomme, là-bas ?

LA NOURRICE

Le fils du vieux Tiberio — et son héritier.

JULIETTE

Et celui-là qui sort maintenant ?

LA NOURRICE

Dieu, ça doit être le jeune Petruchio.

JULIETTE

Et celui qui s'en va derrière, celui qui ne dansait pas ?

LA NOURRICE

Je n'en sais rien.

JULIETTE

Va demander son nom…

La nourrice s'éloigne.

S'il est marié
Le tombeau va être mon lit de noces.

LA NOURRICE

Son nom est Roméo, c'est un Montaigu,
C'est le seul fils de votre grand ennemi.

JULIETTE, *bas.*

Ô mon unique amour, né de ma seule haine !
Inconnu vu trop tôt, reconnu trop tard !
Dois-je naître à l'amour par si grand prodige
Qu'il faille que je m'offre à mon ennemi ?

LA NOURRICE

Qu'est-ce que cela, qu'est-ce donc ?

JULIETTE

Une poésie, que je viens d'apprendre
D'un de mes cavaliers.

On appelle, de la maison : « Juliette ! »

LA NOURRICE

On y va, on y va… Tirons-nous d'ici.
Tous ces gens du dehors, les voici partis.

ACTE II

Prologue

Entre le CHŒUR.

L'ancien désir gît sur son lit de mort
Et la jeune passion brûle d'en hériter.
La belle pour laquelle un cœur voulait mourir
N'est plus rien, comparée à la douce Juliette.

Car Roméo aime à nouveau, il est aimé,
Ces deux regards se sont ensorcelés l'un l'autre,
Mais lui croit ennemie la dame qu'il implore,
Elle à un âpre fer vole l'appât d'amour.

Tenu pour ennemi, il ne peut la rejoindre
Pour murmurer ces vœux que forment les amants.
Elle, non moins éprise, elle sait moins encore
Où rechercher l'objet de sa très neuve ardeur.

Mais l'amour les soutient, le temps est leur complice,
Ils modèrent leurs maux d'immodérées délices.

Il sort.

Scène I

Le verger des Capulet.

ROMÉO, *seul.*

ROMÉO

Pourrai-je m'éloigner quand mon cœur reste ici ?
Ô morne terre obtuse que je suis,
Reviens donc en arrière et retrouve ton centre.

Il escalade le mur. Entrent Benvolio et Mercutio.

BENVOLIO

Roméo, cousin Roméo !

MERCUTIO

Ma foi, il a eu la sagesse
De s'esquiver et d'aller au lit.

BENVOLIO

Il a couru par ici et sauté ce mur de verger.
Appelle-le, mon cher Mercutio.

MERCUTIO

Mieux que cela ! Je vais le conjurer.
Roméo ! Caprice ! Folie ! Homme de passion et d'amour !
Apparais-moi sous l'aspect d'un soupir,
Dis un poème, rien qu'un, et je serai satisfait.
Ne crie qu' « Hélas ! », ne fais rimer qu'amour et toujours,
Ne dis qu'une parole aimable à ma commère Vénus,
Ne trouve qu'un surnom pour son aveugle de fils,

Cupidon, le petit rôdeur[8] qui visa si bien
Quand le roi Cophétue aima la jeune mendiante...
Il n'entend pas, il ne bouge pas, il ne remue pas.
Le singe fait le mort, il faut que je le conjure !
Je te conjure par les yeux brillants de Rosaline,
Par son front vaste et sa lèvre écarlate,
Par son pied tout menu et sa jambe svelte,
Et par sa cuisse frémissante et les domaines qui lui sont proches,
Oui, de nous apparaître tel que la nature t'a fait.

BENVOLIO

S'il t'entend, tu vas l'irriter.

MERCUTIO

Et pourquoi donc ? Ce qui l'irriterait,
C'est, dans le cercle magique de sa maîtresse,
Que je suscite un certain démon d'étrange nature,
Pour l'y laisser planté, jusqu'au moment
Où elle le rabattrait de par ses charmes.
Cela le vexerait, peut-être. Mais mon vœu
Est honnête, loyal ! Au nom de sa maîtresse,
Je le prie seulement de se dresser un peu.

BENVOLIO

Viens ! Il a dû se cacher sous ces arbres
Pour ne plus faire qu'un avec la triste nuit.
Son amour est aveugle, il lui faut les ténèbres.

MERCUTIO

Si l'amour est aveugle, il manquera sa cible...
Tiens, il doit être assis sous un néflier
A vouloir que sa dame soit cette sorte de fruit
Que les filles appellent nèfles quand elles rient à part elles.

Ô Roméo ! Que n'est-elle, ta dame, que n'est-elle
Une nèfle bien mûre et toi la queue d'une poire !
Bonne nuit. Je retourne à ma couche de belle toile,
Car cette autre à la belle étoile, brr, Roméo, qu'elle est froide !
Je n'y pourrais dormir... Alors ? Partons-nous ?

BENVOLIO

Partons, car c'est en vain qu'on le chercherait,
Celui qui ne veut pas qu'on le retrouve.

Ils sortent.

Scène II

Le jardin des Capulet.

Entre ROMÉO.

ROMÉO

Il se moque bien des balafres
Celui qui n'a jamais reçu de blessures.

Juliette paraît à une fenêtre.

Mais, doucement ! Quelle lumière brille à cette fenêtre ?
C'est là l'Orient, et Juliette en est le soleil.
Lève-toi, clair soleil, et tue la lune jalouse
Qui est déjà malade et pâle, du chagrin
De te voir tellement plus belle, toi sa servante.
Eh bien, ne lui obéis plus, puisqu'elle est jalouse,
Sa robe de vestale a des tons verts et morbides
Et les folles seules la portent : jette-la...

Voici ma dame. Oh, elle est mon amour !
Si seulement elle pouvait l'apprendre !
Elle parle... Mais que dit-elle ? Peu importe,
Ses yeux sont éloquents, je veux leur répondre...
Non, je suis trop hardi. Ce n'est pas à moi qu'elle parle.
Deux des plus belles étoiles de tout le ciel,
Ayant affaire ailleurs, sollicitent ses yeux
De bien vouloir resplendir sur leurs orbes
Jusqu'au moment du retour. Et si ses yeux
Allaient là-haut, si ces astres venaient en elle ?
Le brillant de ses joues les humilierait
Comme le jour une lampe. Tandis que ses yeux, au ciel,
Resplendiraient si clairs à travers l'espace éthéré
Que les oiseaux chanteraient, croyant qu'il ne fait plus nuit...
Comme elle appuie sa joue sur sa main ! Que ne suis-je
Le gant de cette main, pour pouvoir toucher cette joue !

JULIETTE

Hélas !

ROMÉO, *bas.*

Elle parle.
Oh, parle encore, ange lumineux, car tu es
Aussi resplendissante, au-dessus de moi dans la nuit,
Que l'aile d'un messager du Paradis
Quand il paraît aux yeux blancs de surprise
Des mortels, qui renversent la tête pour mieux le voir
Enfourcher les nuages aux paresseuses dérives
Et voguer, sur les eaux calmes du ciel.

JULIETTE

Ô Roméo, Roméo ! Pourquoi es-tu Roméo !
Renie ton père et refuse ton nom,
Ou, si tu ne veux pas, fais-moi simplement vœu d'amour
Et je cesserai d'être une Capulet.

ROMÉO, *bas.*

Écouterai-je encore, ou vais-je parler ?

JULIETTE

C'est ce nom seul qui est mon ennemi.
Tu es toi, tu n'es pas un Montaigu.
Oh, sois quelque autre nom. Qu'est-ce que Montaigu ?
Ni la main, ni le pied, ni le bras, ni la face,
Ni rien d'autre en ton corps et ton être d'homme.
Qu'y a-t-il dans un nom ? Ce que l'on appelle une rose
Avec tout autre nom serait aussi suave,
Et Roméo, dit autrement que Roméo,
Conserverait cette perfection qui m'est chère
Malgré la perte de ces syllabes. Roméo,
Défais-toi de ton nom, qui n'est rien de ton être,
Et en échange, oh, prends-moi tout entière !

ROMÉO

Je veux te prendre au mot.
Nomme-moi seulement « amour », et que ce soit
Comme un autre baptême ! Jamais plus
Je ne serai Roméo.

JULIETTE

Qui es-tu qui, dans l'ombre de la nuit,
Trébuche ainsi sur mes pensées secrètes ?

ROMÉO

Par aucun nom
Je ne saurai te dire qui je suis,
Puisque je hais le mien, ô chère sainte,
D'être ton ennemi. Je le déchirerais
Si je l'avais par écrit.

JULIETTE

Mes oreilles n'ont pas goûté de ta bouche
Cent mots encore, et pourtant j'en connais le son.
N'es-tu pas Roméo, et un Montaigu ?

ROMÉO

Ni l'un ni l'autre, ô belle jeune fille,
Si l'un et l'autre te déplaisent.

JULIETTE

Comment es-tu venu, dis, et pourquoi ?
Les murs de ce verger sont hauts, durs à franchir,
Et ce lieu, ce serait ta mort, étant qui tu es,
Si quelqu'un de mes proches te découvrait.

ROMÉO

Sur les ailes légères de l'amour,
J'ai volé par-dessus ces murs. Car des clôtures de pierre
Ne sauraient l'arrêter. Ce qui lui est possible,
L'amour l'ose et le fait. Et c'est pourquoi
Ce n'est pas ta famille qui me fait peur.

JULIETTE

Ils te tueront, s'ils te voient.

ROMÉO

Hélas, plus de périls sont dans tes yeux
Que dans vingt de leurs glaives. Souris-moi,
Et je suis à l'épreuve de leur colère.

JULIETTE

Je ne voudrais pour rien au monde qu'ils te trouvent.

ROMÉO

J'ai le manteau de la nuit pour me dérober à leurs yeux.
Mais qu'ils me trouvent, si tu ne m'aimes !
Sous les coups de leur haine plutôt mourir
Que d'attendre une lente mort sans ton amour.

JULIETTE

Qui t'a guidé jusqu'ici ?

ROMÉO

L'amour, qui m'a d'abord fait m'enquérir.
Il me donna conseil, je lui prêtai mes yeux.
Je n'ai rien du pilote. Et pourtant, vivrais-tu
Aux rives les plus nues des plus lointaines des mers,
Pour un bien tel que toi je me risquerais.

JULIETTE

Sur mon visage
Je porte, tu le vois, le masque des ténèbres,
Sinon l'idée que tu m'as entendue, ce soir,
Empourprerait mes joues de jeune fille.
Que je voudrais être convenable, que je voudrais,
Ce que j'ai dit, le détruire ! Mais adieu, mes bonnes manières,
M'aimes-tu ? Je sais bien que tu diras oui,
Et je te croirai sur parole. Mais si tu jures,
Tu peux te parjurer. Des parjures d'amants
On dit que Jupiter se moque... Ô Roméo,
Si tu m'aimes, proclame-le d'un cœur bien sincère,
Et si tu m'as trouvée trop aisément séduite,
Je me ferai dure et coquette, je dirai non,
Mais pour que tu me courtises, car autrement
J'en serais incapable... Beau Montaigu,
Je suis bien trop éprise, et c'est pourquoi

Tu peux trouver ma conduite légère,
Mais, crois-moi, âme noble, je serai
Plus fidèle que d'autres qui, plus rusées,
Savent paraître froides. Je l'aurais tenté, je l'avoue,
Si tu n'avais surpris, à mon insu,
Mon aveu passionné d'amour. Aussi, pardonne-moi,
Sans attribuer à une âme frivole
Cet abandon qu'a découvert la nuit trop sombre.

ROMÉO

Ma dame, je m'engage par cette lune sacrée
Qui ourle d'argent clair ces feuillages chargés de fruits...

JULIETTE

Oh, ne jure pas par la lune, l'astre inconstant
Qui varie tout le mois sur son orbite,
J'aurais trop peur
Que ton amour ne soit tout aussi changeant.

ROMÉO

Par quoi vais-je jurer ?

JULIETTE

Ne jure pas du tout !
Ou, si tu veux, par ton être charmant
Qui est le dieu de mon idolâtrie.
Alors, je te croirai.

ROMÉO

Si le tendre amour de mon cœur...

JULIETTE

Non, non, ne jure pas. Bien que tu sois ma joie,
Ce serment cette nuit ne m'en donne aucune.

C'est trop impétueux, irréfléchi, soudain,
Trop semblable à l'éclair, qui a cessé d'être
Avant qu'on puisse dire : « Il brille. » Ma chère âme,
Bonne nuit. Ce bourgeon de l'amour, s'il mûrit
Dans la brise d'été, sera peut-être
Une splendide fleur à notre prochaine rencontre.
Bonne nuit, bonne nuit ! Le même doux repos
Qui règne en moi descende dans ton cœur.

ROMÉO

Oh, vas-tu me laisser si insatisfait ?

JULIETTE

Quelle satisfaction peux-tu avoir cette nuit ?

ROMÉO

L'échange de nos vœux de fidèle amour.

JULIETTE

Je t'ai offert le mien dès avant ta requête.
Mais je voudrais avoir à le donner encore.

ROMÉO

Voudrais-tu le reprendre ? A quelle fin, mon amour ?

JULIETTE

Pour être généreuse et te le donner à nouveau,
Et pourtant je ne tiens qu'à cette richesse.
Mon désir de donner est vaste autant que la mer
Et aussi profond mon amour. Mais plus je donne
Et plus je garde pour moi, car l'un comme l'autre
Sont infinis... J'entends du bruit. Adieu,

Mon cher amour... Je viens, bonne nourrice ! Doux Montaigu,
Sois fidèle. Attends-moi un instant, je reviens.

Elle rentre.

ROMÉO

Ô nuit bénie, bénie ! J'ai peur, puisqu'il fait nuit,
Que tout ceci, ce ne soit qu'un rêve
Trop flatteur, délicieusement, pour être vrai.

Juliette revient au balcon.

JULIETTE

Deux mots, cher Roméo, et bonne nuit, cette fois.
Si ton élan d'amour est conforme à l'honneur
Et ton dessein le mariage, écris-moi demain
Par le biais de quelqu'un que je t'enverrai,
Où et quand tu entends qu'on célèbre le rite.
Et alors je mettrai à tes pieds mon destin
Et te suivrai, mon seigneur et maître, d'un bout à l'autre du monde.

LA NOURRICE

Madame !

JULIETTE

Me voici, me voici !... Mais si tu projetais
Des choses déloyales, oh, je te prie...

LA NOURRICE

Madame !

JULIETTE

Tout de suite ! Je viens !... De cesser tes instances
Et de me laisser seule avec mon chagrin...
Demain je t'envoie quelqu'un.

ROMÉO

Par le salut de mon âme...

JULIETTE

Mille fois bonne nuit.

Elle rentre.

ROMÉO

Mille fois plus obscure nuit, puisqu'elle perd ta lumière,
L'amour bondit vers l'amour comme l'écolier loin des livres,
Mais l'amour et l'amour se quittent
Avec le triste regard de l'enfant qui va à l'école.

Juliette revient à la fenêtre.

JULIETTE

Stt, Roméo, stt ! Oh, que n'ai-je la voix du fauconnier
Pour rappeler à nouveau ce beau faucon-pèlerin !
Les captives sont enrouées et ne peuvent pas parler fort,
Sinon j'ébranlerais la grotte où Écho sommeille
Et sa voix faite d'air, je la rendrais
Plus enrouée encore que la mienne,
Par la répétition de mes « Roméo » !

ROMÉO

Mon nom ! Et c'est mon âme qui m'appelle !
Quel doux son argentin, comme la plus tendre musique,
A dans la nuit la voix de ma bien-aimée !

JULIETTE

Roméo !

ROMÉO

Mon faucon[9], en son nid encore ?

JULIETTE

A quelle heure, demain,
T'enverrai-je le messager ?

ROMÉO

A neuf heures.

JULIETTE

Je n'y manquerai pas.
Cela va me durer vingt ans, jusqu'à demain.
J'ai oublié pourquoi je t'ai rappelé.

ROMÉO

Permets-moi de rester auprès de toi,
Tant que tu n'as pas retrouvé.

JULIETTE

J'oublierai donc afin que tu restes toujours,
Me souvenant que j'aime tant te voir.

ROMEO

Et moi, je resterai pour que toujours tu oublies.
J'oublierai que j'avais une autre maison.

JULIETTE

C'est presque le matin. Je voudrais te savoir parti,
Mais pas plus loin que le petit oiseau
Qu'a laissé sautiller sa capricieuse maîtresse,
Comme un pauvre captif tout empêtré de ses liens,
Et qu'elle fait revenir en tirant sur un fil de soie,
Jalouse de sa liberté, mais par amour.

ROMÉO

Que je voudrais être ton oiseau !

JULIETTE

Moi aussi je le veux, mon bien-aimé.
Mais je te tuerais par trop de caresses.
Bonne nuit ! Bonne nuit ! Le chagrin de se séparer
Est si doux que je te dirais jusqu'à demain bonne nuit.

ROMÉO

Que le sommeil descende dans tes yeux
Et la paix dans ton sein ! Et que ne suis-je
Le sommeil et la paix, pour jouir d'un si doux repos[10] !

Elle rentre.

Je vais tout droit me rendre à la cellule
De mon saint confesseur, pour lui demander aide
Et lui dire tout mon bonheur.

Il sort.

Scène III

La cellule de frère Laurent.

Entre FRÈRE LAURENT, *seul, portant un panier.*

FRÈRE LAURENT

L'aube aux yeux gris sourit à la nuit boudeuse,
Elle strie de raies de lumière les nuages de l'Orient,
Et les ténèbres diaprées, chancelantes comme un ivrogne,
Fuient le chemin du jour devant les roues du soleil.
Mais avant que Titan n'ait fait apparaître
Son œil de feu pour saluer le jour
Et sécher de la nuit la rosée malsaine,

Je dois remplir notre panier d'osier
D'herbes nocives et de fleurs au suc précieux.
La terre, qui est la mère de la nature, en est aussi le tombeau,
C'est une fosse sépulcrale que son sein,
D'où naissent ces enfants si dissemblables
Que nous voyons sucer la mamelle des pierres.
Beaucoup sont excellents par bien des vertus,
Il n'en est pas qui n'aient quelque mérite,
Et pourtant ils diffèrent tous. Oh, de quelle efficace
Est la grâce profonde, qui réside
Dans les herbes, les plantes, les minéraux,
Quand leurs qualités sont connues ! Car il n'est rien
De si vil sur la terre qu'il ne procure
A la terre un bienfait spécial — comme il n'est rien
De bon qui, détourné de son vrai usage,
Ne devienne rebelle à son origine
Et ne trébuche, et ne se désordonne. La vertu même,
Mal employée, devient vice, et le vice
S'ennoblit quelquefois d'une bonne action.

Approche Roméo, que frère Laurent ne voit pas.

Dans la corolle naissante de cette fragile fleur
Le poison trouve son gîte et le médecin ses pouvoirs,
Car, si on la respire, elle donnera le bien-être
A tout le corps, tandis que, consommée,
Elle éteint tous nos sens par la voie du cœur.
Ainsi deux rois ennemis campent face à face
Dans l'homme autant que la plante. L'un, c'est la grâce,
L'autre, l'instinct rebelle. Et quand prévaut le mal,
Le chancre de la mort
A vite dévoré la plante que nous sommes.

ROMÉO

Bonjour, mon père.

FRÈRE LAURENT

Benedicite !
Quelle voix matinale si gracieusement me salue ?
Mon jeune fils, c'est un signe d'esprit troublé
Que d'avoir dit si tôt adieu à sa chambre.
Le souci veille dans les yeux des hommes d'âge
Et là où il se loge le sommeil ne va pas venir,
Mais lorsque la jeunesse au corps intact,
Au cerveau sans ténèbre, étend ses membres,
Rien ne règne et ne doit régner que la beauté du sommeil.
Aussi vais-je conclure de ta venue matinale
Que tu es travaillé par quelque tracas,
A moins — et cette fois j'aurai touché juste —
Que notre Roméo n'ait découché cette nuit...

ROMÉO

C'est cela qui est vrai. Mais mon repos
N'en a été que plus doux.

FRÈRE LAURENT

Dieu pardonne au pécheur ! Étais-tu avec Rosaline ?

ROMÉO

Avec Rosaline ? Oh, mon père spirituel, certes pas.
J'ai oublié ce nom et les maux que ce nom apporte.

FRÈRE LAURENT

Voilà bien mon bon fils ! Mais, dans ce cas,
Où pouvais-tu bien être ?

ROMÉO

Je préviendrai tes autres questions.
J'étais à festoyer chez mon ennemi
Quand tout soudain un être m'a blessé

Qui fut blessé par moi. Pour nous deux, le salut
Dépend de ton secours et de tes saints remèdes.
Homme de Dieu ! Tu vois, je n'ai pas de haine,
Puisque je te requiers pour mon ennemi.

FRÈRE LAURENT

Sois clair, mon cher enfant, parle sans détour.
Les confessions équivoques
Suscitent d'équivoques absolutions

ROMÉO

Alors, sache tout clairement que le grand amour de mon cœur
S'est porté sur l'exquise fille du riche Capulet.
Comme le mien est en elle, ainsi le sien est en moi.
Et tout en est scellé, sauf ce qu'il convient que tu scelles
Par le sacrement du mariage ; où et quand et comment
Nous nous sommes connus, aimés, engagés,
Je vais te l'expliquer en route ; mais je t'en prie,
Consens à nous marier aujourd'hui même.

FRÈRE LAURENT

Grand saint Laurent, l'étonnante métamorphose !
Rosaline, que tu aimais si fort,
Si vite délaissée ? L'amour des jeunes gens
N'est-il donc pas au cœur, mais dans les yeux ?
Jésus, Marie ! Quelle saumure de larmes
Ont délavé tes joues jaunâtres pour Rosaline !
Que d'eau salée fut gaspillée en pure perte
Pour la conserve d'un amour qui en perdait jusqu'au goût !
Le soleil n'a pas même épongé le ciel
De tes soupirs ! A mes vieilles oreilles
Retentissent toujours tes vieux gémissements !
Vois, ici, sur ta joue, il y a encore la marque

De quelque ancienne larme pas vraiment encore essuyée.
Si alors tu étais toi-même, si ces maux furent bien les tiens,
Tu fus tout avec eux à Rosaline.
As-tu changé ? Eh bien, consens-moi ce précepte :
La femme peut bien chuter
Puisque le bras de l'homme a si peu de force.

ROMÉO

Tu m'as souvent blâmé d'aimer Rosaline.

FRÈRE LAURENT

D'idolâtrer, mon fils, et non d'aimer.

ROMÉO

Et tu m'as ordonné d'ensevelir cet amour.

FRÈRE LAURENT

Pas au tombeau
Où l'on couche un amour pour en prendre un autre !

ROMÉO

Je te prie, ne me gronde pas. Celle que j'aime
Me rend grâce pour grâce et amour pour amour.
L'autre n'en faisait rien.

FRÈRE LAURENT

Oh, elle savait bien
Que ton amour récitait son couplet
Sans avoir appris à le lire...
Mais viens, jeune inconstant ; allons, viens avec moi,
J'ai mes raisons pour t'apporter mon aide
Et c'est que votre union pourrait bien avoir
Un effet bénéfique : cet amour
Déferait les rancœurs de vos deux maisons.

ROMÉO

Oh, partons. J'ai besoin que l'on fasse vite.

FRÈRE LAURENT

Tout doux, et prudemment.
Qui court trop vite trébuche.

Ils sortent.

Scène IV

Une place publique.

Entrent BENVOLIO *et* MERCUTIO.

MERCUTIO

Où diable peut-il être, ce Roméo ?
Il n'est pas rentré, cette nuit ?

BENVOLIO

Pas chez son père. J'ai parlé à son domestique.

MERCUTIO

Ah, cette fille au cœur de pierre, cette Rosaline blafarde
Le tourmente à tel point qu'il va tomber fou.

BENVOLIO

Tybalt, le parent du vieux Capulet,
Lui a écrit chez son père.

MERCUTIO

C'est un cartel, sur ma vie !

BENVOLIO

Roméo saura lui répondre.

MERCUTIO

Certainement, puisqu'il sait écrire.

BENVOLIO

Non, non, c'est à l'auteur de la lettre qu'il saura répondre : et que je te nargue ceux qui me narguent.

MERCUTIO

Hélas, pauvre Roméo, il est déjà mort — poignardé par l'œil noir d'une demoiselle au teint gris, l'oreille perforée par une chanson d'amour, la cible de son cœur fendue par la flèche non barbelée du petit archer aveugle... Lui, homme à affronter Tybalt ?

BENVOLIO

Qu'est-il donc, ce Tybalt ?

MERCUTIO

Plus que le Roi des chats [11], je vous garantis. Le maître des cérémonies du point d'honneur. Il se bat comme on chante de la musique notée, en observant la mesure, les intervalles, les rythmes. Il s'arrête pour le plus infime des quart-de-pause, une, deux ! et à trois vous l'avez dans votre giron. Le boucher des boutons de soie, le duelliste des duellistes, un gentilhomme de la cuvée des cuvées pour tous les prétextes à se battre, qu'ils soient majeurs ou mineurs ! Ah, l'immortel passado ! Et le punto reverso, le haï !

BENVOLIO

Le quoi ?

MERCUTIO

La peste soit de ces burlesques et incroyables, et de leurs zézaiements et de leurs airs affectés et de leur prétention à nous enseigner le bon ton ! « Par Jésus, la bonne lame ! Quel homme de grande classe ! Quelle putain de grand style ! » Allons donc, n'est-ce pas lamentable, mon vieux, que nous soyons affligés de ces mouches venues d'ailleurs, de ces colporteurs de la mode, de ces « oh, pardon ! » qui sont si à cheval sur le dada du moment qu'ils ne peuvent plus s'asseoir à leur aise sur la traditionnelle banquette ? Oh, leurs os, leurs pauvres os !

Entre Roméo.

BENVOLIO

Voici Roméo ! Voici Roméo !

MERCUTIO

Rien que les os, un vrai hareng saur ! Ô chair, ô chair, comme te voici poissonnifiée ! Il en est maintenant à ces rythmes dont Pétrarque débordait. Laure auprès de sa dame n'était qu'une fille de cuisine (mais, par la Vierge ! elle avait un meilleur amant pour la mettre en vers), Didon, une dondon, Cléopâtre, une saltimbanque, Hélène et Héro des drôlesses et des putains, et Thisbé, un œil gris ou quelque chose comme cela, mais loin du compte. Signor Roméo, bon jour ! C'est un salut français pour vos hauts-de-chausses à la française. Vous nous avez bien roulés la nuit dernière.

ROMÉO

Bonjour, tous les deux. Comment vous ai-je roulés ?

MERCUTIO

En sautant, monsieur, en sautant. Ne voyez-vous pas ?

ROMÉO

Pardon, mon bon Mercutio. J'avais une affaire très importante. Et dans un cas comme était le mien, on peut faire violence à la politesse.

MERCUTIO

Dis plutôt à la peau des fesses... dans un cas comme était le tien.

ROMÉO

Pour faire la révérence ?

MERCUTIO

Tu sais tout prendre fort galamment.

ROMÉO

Tu sais tout découvrir tout aussi délicatement.

MERCUTIO

Comment donc ! Je suis la rose des délicats.

ROMÉO

Tu veux dire la fleur ?

MERCUTIO

Tout juste.

ROMÉO

Alors, mon escarpin, je vais te fleurir.

Il lui donne un coup de pied

MERCUTIO

Bien visé. Mais continue la plaisanterie jusqu'à ce que ton escarpin soit usé, veux-tu ? Quand ta vieille peau d'escarpin aura rendu ses esprits, le tien va montrer la corde.

ROMÉO

C'est toi qui manques de pot, avec tes grosses ficelles. Tu l'accordes ?

MERCUTIO

Oh, viens nous séparer, mon bon Benvolio, mon esprit faiblit.

ROMÉO

Cravache, éperonne ! Cravache, éperonne ! ou je proclame que j'ai gagné !

MERCUTIO

Sûr que mon compte est bon, si c'est au jeu de l'oie que nos esprits se mesurent. Car il y a beaucoup plus de l'oie blanche dans un certain de tes sens qu'il n'y en a dans tous les miens réunis, je n'en doute guère. Ah, je l'ai attrapée, ta petite oie ? Je t'ai eu ?

ROMÉO

Tu veux toujours me faire… la loi.

MERCUTIO

Oh, pour cette plaisanterie, je vais te mordre l'oreille.

ROMÉO

Que non ! Oie engraissée ne mord pas.

MERCUTIO

Petite pomme aigrelette ! Qui fait de l'esprit une vraie sauce piquante !

ROMÉO

N'est-ce pas ce qu'il faut pour accommoder une oie un peu fade ?

MERCUTIO

De l'esprit comme la peau de chevreau. On tire dessus, ça s'allonge. Ça faisait bien un pouce, et ça s'élargit jusqu'à vous faire une verge.

ROMÉO

Je vais l'allonger encore pour ce mot verge. Que je vais accoler à l'oie, et dans tous les sens, mon oie vierge.

MERCUTIO

Eh bien, n'est-ce pas mieux comme cela que de gémir par amour ? Tu es sociable, à présent, tu es Roméo, tu es toi-même comme la nature et l'art t'ont voulu. Tandis que cet amour radoteur est comme l'idiot du village qui court partout en brandissant sa marotte — et c'est pour la cacher dans un trou.

ROMÉO

Arrête-toi, arrête-toi maintenant.

MERCUTIO

Que mon dégoisement s'arrête à mi-charge ? Comme qui dirait, sur le poil ?

ROMÉO

Je lui supposais une queue à n'en plus finir.

MERCUTIO

Là, tu te trompes, mon vieux, car j'en étais au vif de la chose, et je n'avais pas le désir de racler le fond plus longtemps.

Approche la nourrice, avec Pierre, son domestique.

ROMÉO

Oh, le bel attirail ! Une voile, une voile !

MERCUTIO

Deux, deux ! une veste et un jupon.

LA NOURRICE

Pierre !

PIERRE

Voilà.

LA NOURRICE

Mon éventail, Pierre.

MERCUTIO, *bas.*

Donne, mon brave Pierre, pour lui cacher la figure. Car c'est l'éventail qui a bonne mine.

LA NOURRICE

Bien le bonjour, mes nobles messieurs.

MERCUTIO

Bien le bonsoir, ma gracieuse dame.

LA NOURRICE

Est-ce bonsoir ?

MERCUTIO

Pas moins, vous pouvez m'en croire. Car le dard obscène, entre les doigts de l'horloge, a son érection de midi.

LA NOURRICE

Arrière, vous ! Quelle sorte d'homme êtes-vous ?

ROMÉO

Un que Dieu fit, ma noble dame, pour qu'il se défît lui-même.

LA NOURRICE

Par ma foi, c'est bien dit ! « Pour qu'il se défît lui-même », qu'il dit !... Messeigneurs, l'un de vous pourrait-il me dire où je puis trouver le jeune Roméo ?

ROMÉO

Je peux vous le dire. Mais le jeune Roméo sera plus vieux quand vous l'aurez trouvé qu'il n'était quand vous le cherchiez. Je suis le plus jeune de ce nom, faute qu'on ait pu en trouver un pire.

LA NOURRICE

Voilà qui est bien trouvé !

MERCUTIO

Quoi, c'est le pire le bien trouvé ? C'est très bien remarqué, ma foi ! Tout à fait sensé, tout à fait.

LA NOURRICE

S'il vous plaît, monsieur, je voudrais avoir avec vous quelques instants d'entreprise.

BENVOLIO

Elle va l'imputer à quelque souper.

MERCUTIO, *bas.*

Une maquerelle, une maquerelle, taïaut !

ROMÉO

Oh, quel gibier lèves-tu ?

MERCUTIO

Pas exactement un lièvre, monsieur ! Plutôt une lapine dans un pâté de carême[12], quelque chose de rance et de moisi avant même qu'on se l'envoie.

Il se promène auprès d'eux, en chantant.

Vieille lapine moisie,
Vieille lapine moisie,
C'est bonne chair à Carême.
Mais lapine qui est moisie
Moisie avant d'êt' servie,
Eh, c'est pas bien fameux, quand même.

Roméo, venez-vous chez votre père ? On y va dîner.

ROMÉO

Je vous suis.

MERCUTIO

Adieu, antique madame ; adieu, *(chantant)* madame, madame, madame !

Il sort avec Benvolio.

LA NOURRICE

Je vous demande, monsieur ! Qu'est-ce que c'est que ce camelot insolent, qui est si fier de ses mots qui puent la corde ?

ROMÉO

Un gentilhomme, nourrice, qui aime s'entendre parler et qui en dit plus en une minute qu'il souffre d'en écouter en un mois.

LA NOURRICE

Qu'il ne dise rien contre moi, sinon je lui rabats le caquet, serait-il plus vigoureux qu'il ne l'est, ou même que vingt des freluquets de sa sorte. Et si je n'y parviens pas, je sais à qui m'adresser. Quel goujat ! Je ne suis pas une de ses cocottes, je n'ai rien à voir avec ses truands !

A Pierre.

Et toi, il faut que tu restes là, à supporter que le premier chenapan venu me fasse violence à son bon plaisir ?

PIERRE

Je n'ai jamais vu personne vous faire violence pour son plaisir. Sinon, j'aurais promptement sorti mon arme. Je vous garantis que je ne crains pas de dégainer tout aussi vite qu'un autre, si je tombe sur une bonne querelle, avec la loi de mon côté !

LA NOURRICE

Vrai, devant Dieu ! Je suis si contrariée que j'en tremble des pieds jusqu'à la tête. Le goujat ! Je vous prie, monsieur, un mot. Comme je vous le disais, ma jeune dame m'a envoyée à votre recherche. Ce qu'elle m'a chargée de vous dire, je le garderai pour moi ; mais d'abord laissez-moi vous déclarer que, si vous voulez la faire monter en voiture, comme on dit, ce serait, comme on dit, une conduite bien malhonnête, car la noble demoiselle est jeune et c'est pourquoi, si vous alliez mener double jeu, vraiment ce serait un mauvais tour à jouer à une noble demoiselle, un procédé tout à fait vilain.

ROMÉO

Nourrice, recommande-moi à ta dame et maîtresse. Je te jure...

LA NOURRICE

Le brave cœur ! Oui, ma foi, je vais lui dire tout ça. Seigneur Dieu ! elle sera bien joyeuse.

ROMÉO

Que vas-tu lui dire, nourrice ? Tu ne m'écoutes pas.

LA NOURRICE

Je vais lui dire, monsieur, que vous avez fait un serment, ce qui, à mon sens, est une offre de gentilhomme.

ROMÉO

Demande-lui d'imaginer
Le moyen de venir cet après-midi à confesse.
C'est là, dans la cellule de Frère Laurent,
Qu'elle sera absoute, puis mariée.
Tiens, ceci est pour toi.

LA NOURRICE

Non, vraiment, monsieur, pas un sou.

ROMÉO

Allons, prends, je te dis.

LA NOURRICE

Cet après-midi, monsieur ? C'est bien, elle va y être.

ROMÉO

Et toi, bonne nourrice, reste derrière
Le mur de l'abbaye. Dans moins d'une heure,
Mon domestique t'aura rejointe
Avec l'échelle de corde, qui m'aidera,
Au secret de la nuit, à atteindre la hune de mon bonheur.
Adieu ! sois diligente, et je te paierai de tes peines.
Adieu ! recommande-moi à ta maîtresse.

LA NOURRICE

Que le Dieu du ciel vous bénisse !
Écoutez, monsieur.

ROMÉO

Qu'as-tu à dire, chère nourrice ?

LA NOURRICE

Votre domestique est-il sûr ?
Vous connaissez le proverbe : deux hommes
Peuvent garder un secret
Si l'on en tient un à l'écart.

ROMÉO

Je te garantis qu'il est aussi sûr que du bon acier.

LA NOURRICE

Eh bien, monsieur, ma maîtresse est la jeune dame la plus charmante — Seigneur, Seigneur ! Quand elle était cette petite chose qui jacassait... Oh, il y a un seigneur de cette ville, un certain Paris, qui voudrait bien tenter l'abordage. Mais elle, la bonne âme, aimerait autant voir un crapaud, un vrai crapaud, que le voir. Je la fais enrager, des fois, en lui disant que Paris est le plus estimable des deux partis. Mais, je vous assure, quand je parle comme cela, la voilà qui devient plus blanche que le plus blanc des petits bouts de linge de tout ce monde terrestre. Est-ce que romarin et Roméo ne commencent pas tous deux par une sorte de lettre ?

ROMÉO

Oui, nourrice, pourquoi cela ? Chacun des deux par un R.

LA NOURRICE

Oh, moqueur ! c'est pour l'aboiement du chien. ER, c'est pour... Non, je sais que cela commence par une autre lettre ; et elle en a dit, de vous et du romarin, la phrase la mieux tournée, qui vous ferait bien plaisir, si seulement vous pouviez l'entendre !

ROMÉO

Recommande-moi à ta dame.

LA NOURRICE

Oh oui, mille fois. Pierre !

PIERRE

Voilà.

LA NOURRICE

Passe devant, et fais vite !

Ils sortent.

Scène V

Le verger des Capulet.

Entre JULIETTE.

JULIETTE

Quand j'ai dépêché la nourrice, l'horloge
Sonnait neuf heures ; et ma nourrice m'avait promis
D'être de retour dans la demi-heure. Faut-il croire
Qu'elle n'a pu le trouver ? Oh, certes non !
Elle a traîné la jambe ! Les messagers de l'amour
Ce devraient être les pensées, qui sont dix fois plus rapides
Que les rayons du soleil, quand ils repoussent les ombres
Vers les monts nébuleux. Et c'est pourquoi des colombes
Portent si lestement l'Amour, et pourquoi
Cupidon a des ailes qui sont rapides comme le vent.

Mais voici le soleil à la plus haute des cimes
De son voyage du jour ; et cela fait
De neuf heures à midi, trois longues heures. Pourquoi
N'est-elle pas de retour ? Ah, aurait-elle encore
Les passions et la fougue de la jeunesse,
Elle aurait le rebond rapide d'une balle.
Mes mots la lanceraient à mon bien-aimé
Qui me la renverrait. Mais ces vieilles gens,
Qu'ils ont souvent l'apparence des morts,
Inertes, lents et lourds, pâles comme du plomb !

Entre la nourrice.

Oh, mon Dieu, la voilà ! Ma nourrice de miel, quelles nouvelles ?
L'as-tu trouvé ? Éloigne ton domestique.

LA NOURRICE

Pierre, reste à la porte.

Pierre s'éloigne.

JULIETTE

Ma douce et bonne nourrice... Ah, Seigneur Dieu !
Pourquoi cet air si triste ? Si les nouvelles
Sont tristes, annonce-les quand même avec allégresse,
Et sinon c'est offense à une douce musique
Que de me la jouer avec cette mine revêche.

LA NOURRICE

Je suis lasse, donne-moi le temps de souffler un peu,
Ah, que mes os me font mal ! Quelle équipée !

JULIETTE

Je donnerais mes os en échange de tes nouvelles.
Vite, parle-moi, je te prie. Parle, bonne, bonne nourrice.

LA NOURRICE

Quelle hâte, Jésus ! Ne peux-tu attendre un moment ?
Ne vois-tu pas combien je suis essoufflée ?

JULIETTE

Comment peux-tu être essoufflée, puisque tu as
Assez de souffle encore pour me le dire ?
Les excuses que tu te forges pour ce retard
Sont plus longues que le récit que tu t'excuses de faire attendre !
Allons, réponds-moi vite. Bonnes nouvelles
Ou mauvaises ? Dis l'un ou l'autre, et pour le détail j'attendrai.
Contente-moi. Est-ce mauvais, est-ce bon ?

LA NOURRICE

Ah bien, vous n'avez pas été difficile. Vous n'y connaissez rien pour choisir un homme. Roméo ? Non, vraiment pas. Encore que sa figure soit plus agréable qu'aucune autre, et que sa jambe l'emporte sur celle de tous les autres garçons et que, pour ce qui est de la main, du pied ou du corps, bien qu'il n'y ait rien à en dire, il soit vraiment hors de pair ! Ce n'est pas la fleur de la courtoisie, mais pour la douceur, un agneau, je t'en donne ma parole. Va ton chemin, ma fille. N'oublie pas Dieu... Dis, avez-vous déjeuné, à la maison ?

JULIETTE

Non, non. Mais tout cela, je le sais déjà.
Que dit-il de notre mariage, qu'en dit-il ?

LA NOURRICE

Dieu, que j'ai mal au crâne ! Ah, pauvre tête !
Elle me travaille à en croire qu'elle va partir en morceaux.
Et mon dos, de l'autre côté ! Ah, mon dos, mon dos !

Maudites soient vos affaires de cœur
Qui m'envoient au diable attraper la crève
A caracoler par monts et par vaux.

JULIETTE

Je suis navrée que tu te sentes si mal.
Mais douce, douce, douce nourrice, répète-moi
Ce que dit mon très cher amour.

LA NOURRICE

Il a dit, votre cher amour, en gentilhomme honnête et courtois, et généreux et superbe et — je vous le promets — vertueux... Où est donc votre mère ?

JULIETTE

Ma mère ? Chez elle, bien entendu.
Où veux-tu qu'elle soit ? Quelle bizarre réponse !
« Il dit votre amoureux, en honnête gentilhomme :
Où est donc votre mère ? »

LA NOURRICE

Oh, bonne mère de Dieu !
Si impatiente ? Eh bien, par la Sainte Vierge, déborde !
Est-ce là le cautère que tu as pour mes pauvres os ?
Les autres fois, vous les ferez vous-même, vos commissions.

JULIETTE

Que de simagrées ! Allons, que dit Roméo ?

LA NOURRICE

Avez-vous la permission d'aller à confesse, aujourd'hui ?

JULIETTE

Mais oui.

LA NOURRICE

Alors, courez à la cellule de Frère Laurent.
Il y a là un mari qui veut faire de vous sa femme.
— Ah, voici ce coquin de sang qui vous monte aux joues !
Elles vont rougir plus encore aux autres nouvelles.
Courez vite à l'église ; moi, il faut que, de mon côté,
J'aille chercher l'échelle par laquelle le cher amour
Grimpera au nid d'un oiseau quand il fera noir.
Je suis la bête de somme de vos plaisirs,
Mais c'est vous, dès la nuit, qui porterez le fardeau.
Bien. Je vais déjeuner. Courez vite à la cellule du frère.

JULIETTE

Courons à mon grand bonheur ! Au revoir,
Mon honnête nourrice.

Elles sortent.

Scène VI

La cellule de frère Laurent.

Entrent ROMÉO *et* FRÈRE LAURENT.

LE FRÈRE

Veuillent les cieux sourire à cet acte saint
Et faire que les heures qui vont suivre
Ne nous apportent pas chagrins et reproches.

ROMÉO

Amen, amen ! Mais que viennent tous les chagrins,
Ils n'égaleront pas la part de bonheur

Que m'offre le moindre instant lorsque je suis avec elle.
Joins seulement nos mains par les paroles sacrées,
Et que la mort ensuite, la dévoreuse d'amour,
Ose ce qu'elle veut. Il me suffit
Que je puisse penser que Juliette est mienne.

FRÈRE LAURENT

Violentes fins ont ces violentes délices !
Elles meurent dans leur triomphe
Comme la poudre et le feu en s'étreignant se consument.
Le miel le plus sucré, c'est du fait même de sa douceur
Qu'il écœure, et son goût lasse l'appétit.
Aussi, aime mesurément. C'est la chance d'un long amour.
L'homme qui est trop prompt arrive autant en retard
Que celui qui lambine trop... Voici ta dame.

Entre Juliette.

Oh, un pas si léger
Ne risque pas d'user l'immuable silex.
Qui aime peut chevaucher les fils de la Vierge
Qui musent dans l'allégresse du ciel d'été
Sans tomber, si légère est son illusion.

JULIETTE

Je souhaite le bonsoir à mon révérend confesseur.

FRÈRE LAURENT

Roméo te remerciera pour nous deux, ma fille.

JULIETTE

Alors, à lui aussi je souhaite bonsoir,
Pour que nous soyons quittes.

ROMÉO

Ah, si ta joie, ma Juliette,
Est à son comble comme la mienne, mais si tu es

Plus habile à la dire, que ton haleine
Embaume l'air qui nous environne, et que ta voix
Par avance déploie, de sa belle musique,
Les bonheurs que va nous valoir, à l'un et l'autre,
Ce précieux rendez-vous.

JULIETTE

Plus riche de substance que de mots,
Un sentiment profond s'enorgueillit
De ce qu'il est et non de ce qui l'orne
Ce ne sont que des miséreux, ceux-là
Qui peuvent dénombrer leurs biens. Mais mon amour
A grandi à tel point que je ne puis compter
La moitié même de ma richesse.

FRÈRE LAURENT

Bon, venez avec moi, et faisons vite.
Car, si vous permettez, je ne vous laisse pas seuls
Tant que la Sainte Église n'a pas fait de vous un seul être.

Ils sortent.

ACTE III

Scène I

Une place publique

Entrent MERCUTIO, BENVOLIO *et leurs gens.*

BENVOLIO

Je t'en prie, mon cher Mercutio, retirons-nous.
Il fait chaud, les Capulet sont dehors.
Et si nous les croisons, nous n'éviterons pas la querelle.
Par ces chaudes journées, tu le sais, le sang est fou et bouillonne.

MERCUTIO

Tu es comme ces gaillards qui, dès qu'ils passent le seuil d'une taverne, vous flanquent leur épée sur la table, en s'exclamant : « Fasse le ciel que je n'aie pas à en faire usage ! » Mais, dès qu'a fait son effet le second verre, ils vous la tirent contre celui qui tirait le vin, sans la moindre nécessité.

BENVOLIO

Suis-je donc un de ces gaillards ?

MERCUTIO

Allons, allons, tu es aussi excitable à tes heures que n'importe quel vaurien d'Italie. Et aussi susceptible de t'emporter que porté à l'être, susceptible !

BENVOLIO

Susceptible de quoi ?

MERCUTIO

Eh, s'il y en avait deux comme toi, il n'en resterait bientôt qu'un, car l'un aurait tué l'autre. Toi ? Mais tu te querellerais avec un passant qui aurait un poil de plus ou de moins que toi dans sa barbe ! Tu te querellerais avec un casseur de noix, sans autre motif que tes yeux couleur de noisette ! Quel autre œil que le tien irait dénicher de tels sujets de querelle ? Ta tête en est aussi farcie qu'un œuf l'est de sa substance, et pourtant, à force de se fêler dans tant de querelles, la voici aussi vide qu'un œuf pourri. Tu as cherché noise à un homme qui avait toussé dans la rue, sous prétexte qu'il réveillait ton chien qui faisait son somme au soleil. Et n'as-tu pas chanté pouilles à un tailleur qui portait son complet neuf avant Pâques ? Et à cet autre, parce qu'il avait mis du vieux ruban à ses souliers neufs ? C'est bien à toi de me chapitrer sur ce sujet des querelles !

BENVOLIO

Si j'étais aussi prompt que toi à me quereller, je céderais ma vie au premier venu pour une heure et quart d'existence. Et en toute propriété.

MERCUTIO

En toute propriété ? C'est du propre !

Entrent Tybalt, et d'autres.

BENVOLIO

Par ma tête, voici les Capulet.

MERCUTIO

Par mon talon, ça m'est bien égal.

TYBALT

Suivez-moi de près, je veux leur parler...
Bonsoir, messieurs. Un mot avec l'un de vous.

MERCUTIO

Rien qu'un mot avec l'un de nous ?
Ajoutez-y quelque chose. Dites un mot et une passe.

TYBALT

Vous m'y trouverez assez disposé, monsieur, si vous m'en donnez l'occasion.

MERCUTIO

Ne pouvez-vous pas la saisir sans qu'il faille qu'on vous la donne ?

TYBALT

Mercutio, tu es de concert avec Roméo...

MERCUTIO

De concert ? Nous prendrais-tu pour des musiciens ? Si tu nous prends pour des musiciens, attends-toi plutôt à des dissonances. Voici mon archet ! Et qui va te faire danser, morbleu, de concert !

BENVOLIO

Nous discutons ici dans un lieu public.
Retirez-vous dans quelque endroit privé

Pour parler de sang-froid de vos griefs, sinon
Séparez-vous ! Tout le monde ici nous regarde.

MERCUTIO

Leurs yeux sont faits pour ça, qu'ils nous regardent !
Moi, pas question que je bouge pour leurs beaux yeux.

Entre Roméo.

TYBALT

Oh, bien, soyez en paix, monsieur. Voici mon homme.

MERCUTIO

Qu'on me pende, monsieur, s'il porte votre livrée !
Par la Vierge, précédez-le sur le terrain,
Il vous suivra. Ce n'est que dans ce sens
Que Votre Seigneurie peut le dire son homme.

TYBALT

L'amour que je te porte, Roméo,
Ne peut trouver d'expression mieux venue
Que celle-ci : tu es un être vil.

ROMÉO

Ô Tybalt, la raison que j'ai de t'aimer
Fera beaucoup pour excuser la rage
Qui éclate dans ton salut. Non, je ne suis pas vil.
Adieu, donc. Je vois bien, tu ne me connais pas.

TYBALT

Mon petit, on n'excuse pas à si bon compte
Les offenses que l'on m'a faites. Allons, tourne-toi, dégaine !

ROMÉO

Je ne t'ai jamais offensé, je le dis très haut,
Et je t'aime bien plus que tu ne pourras le croire

Tant que tu n'auras su quelle est ma raison.
Aussi, bon Capulet — dont je chéris le nom
Aussi tendrement que le mien ! — sois satisfait.

MERCUTIO

Plate, déshonorante, abjecte soumission !
Balaie-moi tout ça, mon « alla stoccata » !

Il dégaine.

Tybalt, tueur de rats, on va faire un tour ?

TYBALT

Que me veux-tu ?

MERCUTIO

Bon roi des chats, simplement une de vos neuf vies, avec laquelle j'ai l'intention de prendre des libertés non sans me réserver, si vous m'offensez encore, de hacher menu les huit autres. Voulez-vous bien me tirer votre épée de sa douillette, et par les oreilles ? Dépêchez-vous, de peur que la mienne ait plus vite encore sifflé aux vôtres.

TYBALT

Je suis à vous.

Il dégaine.

ROMÉO

Rengaine ton épée, mon bon Mercutio.

MERCUTIO

Allons, votre passado, monsieur !

Ils combattent.

ROMÉO

Dégaine, Benvolio ! Abattons leurs armes !
Honte, seigneurs ! Ne commettez pas ce délit.
Tybalt, Mercutio ! Le prince a expressément défendu
Tous ces combats dans les rues de Vérone.
Arrêtez-vous, Tybalt ! Bon Mercutio !

Tybalt frappe Mercutio par-dessous le bras de Roméo et s'enfuit.

MERCUTIO

Je suis blessé. J'ai mon compte.
La peste soit de vos deux maisons.
Il est parti, ce Tybalt, il n'a rien ?

BENVOLIO

Es-tu blessé ?

MERCUTIO

Oui, une égratignure, une égratignure.
Mais suffisante, morbleu... Où est mon page ?
Maraud, va me chercher un chirurgien.

Le page sort.

BENVOLIO

Courage, mon ami ! Ce ne peut être
Une blessure bien grave.

MERCUTIO

Non, ce n'est pas aussi profond qu'un puits, ni aussi large que le porche d'une église, — mais c'est assez, cela fera son office. Venez me voir demain, et vous me trouverez d'une froideur ! Je suis poivré, je vous le garantis, c'en est fait de ma vie terrestre. La peste de vos maisons ! Ah, morbleu ! Un chien, un rat, une souris, un chat, vous tuer d'une égratignure ! Un fanfaron, un coquin, un gueux, qui se bat selon son livre d'arithmétique ! Pourquoi diable vous êtes-vous jeté entre nous ? J'ai été touché par-dessous votre bras.

ROMÉO

Je voulais agir pour le mieux.

MERCUTIO

Aide-moi à entrer dans quelque logis, Benvolio,
Ou je m'évanouis... La peste de vos maisons !
Elles ont fait de moi cette chair à vermine.
J'ai mon compte, et bien calculé ! Ah, vos maisons !

Il sort, avec l'aide de Benvolio.

ROMÉO

Un gentilhomme, un proche parent du prince,
Un véritable ami, reçoit ce coup mortel
A ma place ; et l'outrage de Tybalt,
Qui est depuis une heure mon cousin,
Souille ainsi mon honneur. Ô ma douce Juliette,
Ta beauté fait de moi un efféminé,
Elle amollit l'acier de ma valeur.

Benvolio revient.

BENVOLIO

Ô Roméo, Roméo, le brave Mercutio est mort.
Cette âme courageuse,
Qui prématurément méprisait la terre,
S'est envolée vers les nues.

ROMÉO

Le noir destin de ce jour va s'appesantir sur bien d'autres.
Celui-ci ne fait qu'ébaucher
Les maux que d'autres jours auront à finir.

Tybalt revient.

BENVOLIO

Et voici que revient l'enragé Tybalt.

ROMÉO

En vie et triomphant, et Mercutio tué !
Remonte au ciel, mon esprit d'indulgence,
Et guide-moi désormais, fureur au regard de feu !
Allons, Tybalt, retire la vilenie
Dont tu m'as taxé tout à l'heure, car l'âme de Mercutio
N'est pas très haut encore au-dessus de nos têtes,
Attendant que tu viennes lui faire escorte !
Toi ou moi, ou nous deux, devrons partir avec lui.

TYBALT

Misérable gamin, son camarade ici-bas,
C'est à toi d'aller le rejoindre !

ROMÉO

Voilà qui décidera.

Ils se battent. Tybalt tombe.

BENVOLIO

Va-t'en, Roméo, fuis !
Les citoyens arrivent, Tybalt est tué !
Ne reste pas comme stupide. Car le prince,
Si tu es pris, te vouera à la mort.
Va-t'en d'ici, va-t'en !

ROMÉO

Oh, je suis le jouet de la Fortune.

BENVOLIO

Mais pourquoi restes-tu !

Entrent les citoyens. Sort Roméo.

UN CITOYEN

Par où s'est-il enfui, celui qui tua Mercutio ?
Par où s'est-il enfui, Tybalt, l'assassin ?

BENVOLIO

A terre, ici, ce Tybalt.

UN CITOYEN

Debout, monsieur, venez avec moi.
Je vous somme de m'obéir, au nom du prince.

Entrent le Prince, le vieux Montaigu, Capulet, leurs femmes et d'autres encore.

LE PRINCE

Où sont les vils instigateurs de cette rixe ?

BENVOLIO

Je puis tout expliquer, ô noble prince,
Du déplorable cours de ce heurt fatal.
Celui qui gît ici, le jeune Roméo l'a tué,
Et lui, Tybalt, il avait tué votre parent,
Le valeureux Mercutio.

LADY CAPULET

Ô Tybalt, mon neveu ! L'enfant de mon frère !
Ô prince ! ô mon mari ! Oh, voici répandu
Le sang de notre cher parent ! Prince, si tu es juste,
Pour prix de notre sang verse celui des Montaigu.
Neveu ! Mon cher neveu !

LE PRINCE

Benvolio, qui a commencé cette sanglante mêlée ?

BENVOLIO

Tybalt, que voici mort, tué par Roméo !
Un Roméo qui lui parlait avec sagesse,
Lui demandant de voir à quel point leur querelle
Était futile, et qui allégua, au surplus,
Votre haute colère. Mais tout cela,
Dit avec gentillesse et calme, et le genou
Modestement ployé, ne peut mettre un frein
A la bile impétueuse de Tybalt. Il demeure sourd
Aux paroles de paix, et d'un fer perforant
Se fend vers la poitrine de Mercutio
Le vaillant ! qui d'un même feu, dans cette lutte mortelle,
Oppose glaive au glaive. D'une main,
Plein d'un dédain martial, il écarte la froide mort,
Cependant que de l'autre il la renvoie à Tybalt
Qui la retourne avec art. Roméo leur crie :
« Arrêtez, amis, arrêtez ! » Et, plus promptement que sa langue,
Son bras leste rabat leurs pointes fatales,
Il se jette entre eux deux. Mais c'est alors,
C'est par-dessous son bras qu'une botte perfide
De Tybalt dépossède de la vie
Mercutio l'intrépide... Tybalt s'enfuit,
Mais peu après revient sur Roméo
Qui nourrit maintenant un désir de vengeance.
Leur assaut fut comme un éclair. Car, avant même
Que j'aie pu dégainer pour les séparer,
L'intrépide Tybalt avait fait son temps.
Et Roméo, tournant les talons, s'enfuyait.
Telle est la vérité ; ou sinon, que Benvolio meure.

LADY CAPULET

C'est un parent de ces Montaigu. L'affection
Le fait mentir, il ne dit pas la vérité.

Car ils étaient bien vingt dans ce noir combat
Qui à eux tous n'ont pu détruire qu'une vie.
Je réclame justice, et tu dois me l'accorder, prince.
Roméo, qui tua Tybalt, Roméo doit cesser de vivre.

LE PRINCE

Roméo l'a tué. Mais Tybalt tua Mercutio.
Qui va payer le prix de ce sang qui m'est cher ?

MONTAIGU

Pas Roméo, prince, pas le camarade de Mercutio.
Sa faute n'a été que de terminer
Ce que la loi eût tranché, la destinée de Tybalt.

LE PRINCE

Oui, et pour cette offense
Je le bannis, et sur-le-champ, de cette ville.
Je suis atteint par les méfaits de votre haine,
C'est mon sang que vos rixes sauvages ont répandu.
Mais je vous frapperai d'une amende si forte
Que vous pleurerez tous la perte que j'éprouve.
Je serai sourd aux plaidoyers et aux excuses.
Ni larmes ni prières ne pourront racheter vos fautes,
Aussi n'en usez pas. Que Roméo parte vite !
Sinon, il périra sitôt que trouvé ici.
Emportez ce cadavre, attendez nos arrêts.
La clémence n'est rien qu'un meurtre, si elle absout ceux qui tuent.

Ils sortent.

Scène II

La maison des Capulet.

Entre JULIETTE, *seule.*

JULIETTE

Galopez, destriers aux talons de flamme,
Vers la demeure de Phébus ! Un conducteur
Comme était Phaéton vous eût de son fouet
Précipité à l'ouest, faisant accourir
Aussitôt les nuées nocturnes ! Oh, étends ton épais rideau,
Nuit qui exauces l'amour, et que les yeux de ce fugitif [13]
Se ferment pour que puisse mon Roméo,
Sans être vu, s'élancer dans mes bras !
Aux amants peut suffire, pour les rites de leur amour,
La lumière de leur beauté ; et si l'amour est aveugle
Il s'accorde aux ténèbres d'autant mieux.
Courtoise nuit, grande dame au sévère vêtement sombre,
Viens, apprends-moi à perdre, en la gagnant,
La partie où se jouent nos deux virginités,
Et couvre de ton noir manteau mon sang encore sauvage
Et si fort dans mes tempes, jusqu'à ce que
Mon jeune amour timide sache, enhardi,
Combien sont purs les actes d'un vrai amour.
Viens, nuit ! Viens, Roméo ! Viens, mon jour dans la nuit.
Car sur les ailes de la nuit, tu vas reposer
Plus blanc que sur le dos du corbeau la neige,
Viens, douce nuit, amoureuse au front noir,
Donne-moi Roméo ; et, quand je serai morte
Prends-le, fais-le se rompre en petites étoiles,

Lui qui rendra si beau le visage du ciel
Que l'univers sera comme fou de la nuit
Et n'adorera plus l'aveuglant soleil.
J'ai acheté le logis d'un amour,
Mais je n'en ai pas pris possession encore.
Je suis vendue,
Mais je n'ai pas servi. Qu'ennuyeux est ce jour !
Tout autant que la nuit d'avant une fête
Pour l'impatiente enfant qui ne peut porter
Sa belle robe neuve. — Oh, voici ma nourrice !

Entre la nourrice, avec des cordes.

Elle m'apporte des nouvelles ; et toute langue qui forme
Le nom de Roméo a l'éloquence du ciel.
Eh bien, nourrice, quelles nouvelles ? Que portes-tu ?
Est-ce l'échelle de corde que Roméo t'a dit d'aller prendre ?

LA NOURRICE

Oui, oui, l'échelle de corde.

Elle la jette par terre.

JULIETTE

Mon Dieu, que se passe-t-il ?
Pourquoi te tords-tu les mains ?

LA NOURRICE

Jour de malheur ! Il est mort, il est mort, il est mort,
Nous sommes perdues, nous sommes perdues, madame !
Ah, terrible journée ; on nous l'a tué, il est mort !

JULIETTE

Le ciel a-t-il pu être aussi jaloux ?

LA NOURRICE

Roméo, oui, si le ciel ne l'a pu.
Ô Roméo, Roméo !
Qui aurait pu le croire ? Roméo !

JULIETTE

Quel démon es-tu donc, pour me tourmenter de la sorte ?
Cette torture, c'est bon pour être hurlé dans l'horrible enfer.
Roméo s'est-il suicidé ? Prononce un « oui », seulement,
Et ce tout petit mot me détruira plus vite
Que l'œil chargé de mort du basilic.
Quels vont être mes maux si j'entends ce mot,
S'il signifie que ses yeux se sont clos !
S'il est mort, dis ce « oui » ; sinon, dis : « non » !
Que ces sons brefs fassent ma joie ou mon malheur !

LA NOURRICE

J'ai vu la blessure, de mes yeux vu,
Ici (Dieu me pardonne !), sur cette mâle poitrine,
Un cadavre, un pitoyable et sanglant cadavre,
Et pâle, pâle comme la cendre, et tout barbouillé de sang,
Tout couvert de son sang caillé ! Quand je l'ai vu,
J'ai perdu connaissance.

JULIETTE

Oh, brise-toi, mon cœur ! Fais banqueroute !
Allez en geôle, mes yeux, n'envisagez plus d'être libres !
Vil limon, retourne à la terre, arrête tes mouvements,
Et qu'un seul lourd cercueil t'accable avec Roméo !

LA NOURRICE

Tybalt, Tybalt, le meilleur ami que j'avais !
Courtois Tybalt, honnête gentilhomme,
Pourquoi ai-je vécu pour te voir mort ?

JULIETTE

Quelle tempête est-ce là, qui souffle en vents si contraires ?
Roméo est-il tué, et Tybalt aussi est-il mort ?
Mon très aimé cousin, mon époux mieux aimé encore ?
Dans ce cas, trompette sinistre, sonne le dernier Jugement,
Car qui donc est vivant si ces deux-là ne sont plus ?

LA NOURRICE

Tybalt n'est plus, et Roméo n'est plus là.
Roméo a tué Tybalt, et il est banni.

JULIETTE

Oh, Dieu ! La main de Roméo a versé le sang de Tybalt ?

LA NOURRICE

Oui, oui ! Que maudit soit ce jour !

JULIETTE

Ô cœur-serpent, caché sous ce visage de fleurs !
Quel dragon a jamais vécu dans un si bel antre !
Magnifique tyran, démon angélique,
Corbeau aux plumes de colombe, agneau vorace comme le loup !
Substance méprisable sous une forme divine,
En tout point le contraire de ce que tu sembles en tout,
Saint qui seras damné, traître sous l'aspect de l'honneur !
Oh, qu'est-ce donc, nature, qui te poussait en enfer
Lorsque tu accueillis cet esprit du mal
Au paradis mortel d'une chair aussi douce ?
Y a-t-il jamais eu d'aussi vils ouvrages
Sous reliure aussi belle ? Et, faut-il que la fourberie
Habite en un palais de tant de splendeurs ?

LA NOURRICE

On ne peut se fier à un homme.
Ni bonne foi, ni honnêteté ! Tous des parjures,
Des faussaires, des moins-que-rien, des simulateurs.
Ah, où est mon valet ? De l'eau-de-vie !
Ces chagrins, ces malheurs, ces souffrances me font vieillir.
Honte sur Roméo !

JULIETTE

Que ta langue se couvre de mille cloques
Pour avoir formulé ce vœu ! Il n'est pas né pour la honte,
La honte sur son front a honte de s'asseoir,
Car ce front est un trône où l'honneur pourrait être
Couronné roi de tout notre univers !
Oh, quel monstre je fus de m'en prendre à lui !

LA NOURRICE

Vas-tu dire du bien de celui qui a tué Tybalt ?

JULIETTE

Vais-je dire du mal de mon mari ?
Ah, quelle langue, mon seigneur infortuné,
Effacera les rugosités de ton nom
Quand moi, qui suis ta femme depuis trois heures,
Je l'ai déjà déchiré ? Mais aussi, ô méchant,
Pourquoi faire mourir mon cousin... Ce méchant
Qui eût tué mon mari... Arrière, sottes larmes,
Refluez à vos sources, c'est au malheur
Que revient le tribut de vos gouttes, qui s'offre
Par erreur à la joie. Mon mari est vivant,
Lui qu'aurait tué Tybalt, et Tybalt est mort,
Qui eût tué mon mari. Tout cela est heureux.
Alors pourquoi pleurer ? C'est qu'un mot me tue,
Pire que « Tybalt mort ». Je voudrais l'oublier

Mais, hélas, il accable ma mémoire
Comme leurs crimes maudits hantent l'esprit des pécheurs.
« Tybalt est mort, et Roméo banni. »
Ce « banni », ce seul mot : « banni »
A tué dix mille Tybalt. Certes, la mort
De Tybalt, c'était là un mal suffisant,
Mais, si l'aigre malheur aime la compagnie,
S'il a besoin que d'autres souffrances le suivent,
Pourquoi n'avoir pas dit, en plus de Tybalt,
« Ton père aussi, ta mère », ou même les deux,
Ce qui m'aurait contrainte aux déplorations ordinaires ?
Ajouter, à l'arrière-garde de Tybalt mort,
« Roméo est banni », prononcer ce mot,
Et c'est mon père et ma mère, Tybalt, Roméo, Juliette
Qui meurent tous, qui sont assassinés ! Roméo, banni !
Il n'y a pas de fin, de limites, de bornes
Dans ce mot meurtrier. Il n'y a pas de mots
Pour dire ce malheur. Nourrice,
Où sont mon père et ma mère ?

LA NOURRICE

A pleurer et gémir sur le corps de Tybalt.
Allez-vous les rejoindre ? Je vous y mène.

JULIETTE

Lavent-ils ses blessures de leurs larmes ?
Je répandrai les miennes, lorsque les leurs seront sèches,
A pleurer le bannissement de Roméo.
Reprends ces cordes. On vous a trompées, pauvres cordes,
Tout comme moi, puisque Roméo est banni.
Il avait fait de vous la route de ma couche,
Mais vierge je mourrai, oui veuve et vierge.
Allez, cordes, et toi, nourrice. J'irai, moi, au lit de mes noces,
Et que la mort, et non Roméo, prenne ma virginité.

LA NOURRICE

Allez vite dans votre chambre ! Je trouverai Roméo
Pour qu'il vous réconforte. Je sais fort bien où il est.
Entendez-vous ? Il viendra ici cette nuit, votre Roméo.
J'y cours. Il s'est caché dans la cellule du frère.

JULIETTE

Oh, trouve-le ! Donne cet anneau à mon chevalier fidèle
Et commande-lui de venir me faire un dernier adieu.

Elles sortent.

Scène III

La cellule de frère Laurent.

Entre le FRÈRE.

FRÈRE LAURENT

Roméo, montre-toi ! Ah, viens, malheureux homme !
L'affliction s'est éprise de tes vertus,
Te voilà marié au malheur.

Entre Roméo.

ROMÉO

Mon père, quelles nouvelles ? Quelle est la sentence du prince ?
Quelle souffrance inconnue encore
Brigue de venir près de moi ?

FRÈRE LAURENT

Tu n'es que trop le familier
De cette amère compagnie, mon cher enfant.
Je viens t'apprendre l'arrêt du prince.

ROMÉO

Que serait-il de moins qu'un arrêt de mort ?

FRÈRE LAURENT

Un jugement plus doux est tombé de ses lèvres.
Non pas la mort du corps : son bannissement !

ROMÉO

Bannissement ! Sois charitable, dis la mort.
L'exil est d'apparence plus horrible
Que la mort, mille fois ! Ne dis pas l'exil.

FRÈRE LAURENT

Tu es banni de cette ville de Vérone.
Sois courageux, mon fils, le monde est vaste.

ROMÉO

Il n'y a pas de monde hors des remparts de Vérone.
Rien que le purgatoire, la torture, l'enfer lui-même.
Être banni d'ici, c'est l'être du monde,
Et l'exil loin du monde, c'est la mort — « Bannissement »,
Mais c'est « mort » sous un autre nom. Bannissement !
En appelant ainsi la mort, tu me tranches la tête
Avec une hache d'or
Et tu souris au coup qui m'assassine.

FRÈRE LAURENT

Péché mortel ! grossière ingratitude !
Ta faute, notre loi la punit de mort. Mais le bon prince

A pris parti pour toi, il l'a bousculée
Et changé ce mot noir, « la mort », en celui d'exil.
C'est une grande grâce, et tu ne veux pas le voir.

ROMÉO

Une torture et non une grâce ! Le ciel
Est ici, où Juliette vit ! Les chats, les chiens,
Les infimes souris, les moindres créatures
Vivent ici au ciel, puisqu'elles peuvent la voir,
Mais Roméo ne le pourra plus. Oui, les mouches d'une charogne
Ont plus de droits, de titres, de privilèges
Que Roméo, puisqu'elles peuvent toucher
La blancheur merveilleuse de la chère main de Juliette
Et dérober une éternité de joie
A ses lèvres qui, dans leur chaste modestie,
Ne cessent de rougir à l'idée qu'elles sont coupables
Du péché de s'entrebaiser... Les mouches peuvent cela,
Alors que moi, je dois fuir. Diras-tu encore
Que l'exil, ce n'est pas la mort ? Roméo ne peut plus...
Il est banni. Ce que les mouches peuvent,
Il faut que lui le fuie. Elles sont libres,
Quand moi je suis banni ! N'avais-tu donc pas
Une mixture empoisonnée, une lame aiguë,
Un quelconque instrument de soudaine mort
Pour m'abattre, au lieu de ce mot ? Banni ! Banni !
Oh, moine, c'est le mot des damnés en enfer
Parmi leurs hurlements. Comment as-tu le cœur,
Toi qui es prêtre et confesseur des âmes,
Toi qui absous les fautes, toi qui te dis mon ami,
De me déchirer de ces mots : « Tu es banni ! »

FRÈRE LAURENT

Fou que tu es, écoute-moi un peu.

ROMÉO

Oh, tu vas me parler de bannissement encore.

FRÈRE LAURENT

Te donner une armure, pour résister à ce mot.
C'est le doux lait de l'adversité, la philosophie,
Qui te fortifiera, mon pauvre banni.

ROMÉO

« Banni », encore ! Au gibet, la philosophie !
Peut-elle recréer une Juliette,
Déplacer une ville, renverser le décret d'un prince ?
Alors, elle n'est rien, ne peut rien, ne m'en parle plus.

FRÈRE LAURENT

Ah, je vois que les fous n'ont pas d'oreilles.

ROMÉO

Comment en auraient-ils ?
Les sages ont-ils des yeux ?

FRÈRE LAURENT

Consens que nous parlions de ta situation.

ROMÉO

Ce que tu ne sens pas, tu n'en peux parler !
Serais-tu jeune comme moi, et amoureux de Juliette,
Et son époux d'une heure à peine, mais Tybalt mort,
Et comme moi envoûté mais banni,
Ah, tu pourrais parler et t'arracher les cheveux
Et te jeter à terre comme je le fais maintenant,
Pour y prendre mesure d'une tombe encore à creuser !

On frappe.

FRÈRE LAURENT

Relève-toi, on frappe. Bon Roméo, cache-toi.

ROMÉO

Certes non !
A moins que les soupirs de mon triste cœur
Ne me dérobent dans leur brume à l'examen des regards.

On frappe à nouveau.

FRÈRE LAURENT

Écoute, comme on frappe ! — Qui est là ?
Relève-toi, Roméo,
Ils vont te prendre ! — Un instant ! — Mais lève-toi donc !

On frappe plus fort.

Cours dans mon cabinet. — Tout de suite ! — Vouloir de Dieu,
Quelle folie c'est là ! — Je viens, je viens !

On frappe encore.

Mais qui frappe si fort ? D'où venez-vous ? Et que voulez-vous ?

LA NOURRICE

Laissez-moi entrer et je vais vous dire.
Je suis une envoyée de Madame Juliette.

FRÈRE LAURENT

Alors, vous êtes la bienvenue.

Entre la nourrice.

LA NOURRICE

Oh, saint moine, oh, dites-moi, saint moine,
Où est le prince de ma dame, Roméo ?

FRÈRE LAURENT

A terre, ici, enivré de ses propres larmes.

LA NOURRICE

Oh, dans le même état que ma maîtresse,
Tout à fait dans le même état.

FRÈRE LAURENT

Quelle communion malheureuse,
Quelle situation pitoyable !

LA NOURRICE

Tout comme lui elle est là prostrée
A sangloter et pleurer, à pleurer et à sangloter.
Debout, voyons, debout, si vous êtes un homme,
Pour l'amour de Juliette, levez-vous et tenez-vous droit.
Pourquoi tomber dans cet abîme de plaintes ?

ROMÉO, *se levant.*

Nourrice !

LA NOURRICE

Ah, messire, messire, la mort finit tous les maux.

ROMÉO

Parlais-tu de Juliette ? Comment va-t-elle ?
N'est-ce pas son idée que je suis un vil assassin,
Maintenant que l'enfance de notre joie,
Je l'ai souillée d'un sang qui lui est si proche ?
Où est-elle ? Que devient-elle ? Et que dit-elle
De notre amour détruit, ma secrète épouse ?

LA NOURRICE

Oh, elle ne dit rien, monsieur, mais pleure et pleure,
Se jette sur son lit, et puis se relève,

Et appelle Tybalt, et pleure pour Roméo,
Et puis retombe encore.

ROMÉO

Tout comme si ce nom
Lancé par la volée mortelle d'un canon
L'avait assassinée, imitant la main
Qui tua son parent ! Oh, frère, dis-moi, dis-moi,
Dans quelle vile partie du corps
Loge mon nom ; que je puisse tout saccager
Dans sa détestable demeure !

Il veut se poignarder, et la nourrice lui prend son arme.

FRÈRE LAURENT

Retiens ta main ivre de désespoir !
Es-tu un homme ? C'est vrai que ton aspect le proclame,
Mais tes larmes sont d'une femme et tes actes fous
Montrent la déraison furieuse d'une bête.
Femme malencontreuse sous l'apparence d'un homme,
Et bête monstrueuse sous cette hybride apparence !
J'en suis abasourdi ! Par mon saint Ordre,
Je te croyais d'un plus riche métal.
Tu as tué Tybalt. Veux-tu encore te tuer ?
Et tuer ta compagne, qui vit par toi,
En tournant contre toi ta haine damnable ?
Tu fais insulte à ta naissance, à la terre, au ciel,
Puisque naissance et terre et ciel se sont unis
D'emblée en toi que d'un seul coup tu voudrais perdre ?
Honte, honte ! Tu fais affront à ta beauté,
A ton amour et ton esprit, toi qui regorges
De tous ces biens, mais comme un usurier
N'use d'aucun de la façon qui ferait gloire
A ta beauté, à ton amour, à ton esprit !
Ton noble aspect n'est donc qu'un moule de cire

Dépourvu d'énergie virile ? Le grand amour
Que tu juras, ce n'est que parjure et mensonge
S'il tue ce cher objet que tu fis vœu de chérir,
Et ton esprit, cet ornement de la beauté
Et de l'amour, mais que tu as gauchi
En guidant l'un et l'autre, et si mal, ton esprit,
Comme la poudre dans la réserve d'un malhabile soldat,
Est mis à feu par ta propre ignorance
Et tu es démembré par ce qui devrait te défendre.
Allons, homme, ressaisis-toi. Ta Juliette est vivante,
Pour l'amour de laquelle tu te mourais à l'instant,
Et en cela tu es un homme heureux.
Tybalt voulait ta mort, tu l'as tué,
Et en cela tu es un homme heureux.
La loi te menaçait de mort, mais, amicale,
La transmue en exil, — et en cela encore
Tu es un homme heureux. Oui, les bénédictions
Pleuvent à verse sur ta tête, le bonheur
Dans ses plus beaux atours te courtise, mais toi,
Comme une fille maussade, mal élevée,
Tu boudes ta fortune et ton amour. Prends garde,
C'est ainsi que l'on meurt dénué de tout !
Allons, va retrouver ta bien-aimée
Comme il fut décidé. Monte à sa chambre,
Console-la. Mais veille à ne pas rester
Lorsque vient l'heure où l'on poste le guet,
Car tu ne pourrais plus rejoindre Mantoue
Où il faut que tu vives, jusqu'au moment
Que nous jugerons favorable
Pour proclamer vos noces, réconcilier
Vos familles, obtenir le pardon du prince
Et te rappeler — plus heureux un million de fois
Que tu ne pleurais en partant. Nourrice,
Passe devant. Salue de ma part ta maîtresse
Et dis-lui qu'elle précipite le coucher

De toute la maison, ce que facilite
Leur accablant chagrin. Roméo arrive.

LA NOURRICE

Oh, mon Dieu, je pourrais rester jusqu'à l'aube
A entendre vos bons conseils. Ce que c'est que la science !
Monseigneur, je vais dire à ma dame que vous venez.

ROMÉO

Fais-le, et dis à ma bien-aimée
De préparer ses reproches.

La nourrice fait mine de partir, mais revient.

LA NOURRICE

Voici, monsieur, un anneau
Qu'elle m'a dit de vous remettre, monsieur.
Hâtez-vous, faites vite, il se fait terriblement tard.

Elle sort.

ROMÉO

Comme ceci ranime ma confiance !

FRÈRE LAURENT

Va ! Bonne nuit. Ta situation se résume ainsi :
Soit tu t'enfuis avant que le guet ne vienne,
Soit tu pars déguisé au lever du jour.
Reste à Mantoue. Je saurai trouver ton valet
Et il viendra t'instruire, de temps en temps,
De ce qu'il adviendra ici de favorable.
Donne-moi ta main... Il est tard. Adieu ! Bonne nuit.

ROMÉO

N'était la joie qui m'appelle, joie au-delà de la joie,
Je souffrirais de te quitter si vite.
Adieu.

Ils sortent.

Scène IV

La demeure des Capulet.

Entrent le vieux CAPULET, LADY CAPULET *et* PARIS.

CAPULET

Tout a si mal tourné, seigneur,
Que nous n'avons pas eu le temps de préparer notre fille.
Comprenez, elle aimait tendrement son cousin Tybalt,
Et je l'aimais aussi... Enfin ! nous sommes nés pour mourir.
Il est bien tard. Elle ne va plus descendre ce soir.
N'était votre visite, je vous assure
Que je serais au lit depuis une heure moi-même.

PARIS

Le moment des soupirs ne favorise guère
Les soupirants... Bonne nuit, madame,
Faites mes compliments à votre fille.

LADY CAPULET

Oui, et demain matin, je la sonderai.
Ce soir, elle est murée dans sa souffrance.

Paris fait mine de partir. Capulet le rappelle.

CAPULET

Seigneur Paris, je veux prendre le risque
De vous offrir l'amour de mon enfant.
Car je crois qu'elle entend, sur toutes choses,
Se laisser gouverner par mes avis. Que dis-je ?
Je ne puis en douter. Allez chez elle, ma femme,

Avant de vous coucher. Dites-lui à l'oreille,
Que le fils de mon cœur, Paris, est amoureux d'elle.
Et dites-lui, — écoutez-moi bien ! — que mercredi…
Doucement, quel jour sommes-nous ?

PARIS

Lundi, messire.

CAPULET

Ah bien, lundi ? Alors, ce serait trop tôt, mercredi.
Disons jeudi. — Dites-lui que jeudi
Elle sera mariée à ce noble comte…
Serez-vous prêt ? Cette hâte vous convient-elle ?
Nous ne ferons pas grande cérémonie,
Rien qu'un ami ou deux. Car, voyez-vous,
Le meurtre de Tybalt si récent encore,
On penserait que nous le traitons mal,
Lui, un proche parent, si nous bambochions.
Oui, nous n'aurons pas plus d'une demi-douzaine d'amis,
Pas un de plus… Que pensez-vous de jeudi ?

PARIS

Monseigneur, je voudrais que ce soit demain.

CAPULET

Eh bien, allez-vous-en. Ce sera jeudi.
Passez chez Juliette, ma femme,
Avant d'aller au lit, et préparez-la
A ce jour de mariage. Adieu, monseigneur.
Holà, que l'on m'éclaire jusqu'à ma chambre.
Par Dieu, il est si tard que l'on va bientôt pouvoir dire
Qu'il est très tôt. Bonne nuit, bonne nuit.

Ils sortent.

Scène V

La chambre de Juliette.

JULIETTE *et* ROMÉO, *près de la fenêtre.*

JULIETTE

Veux-tu partir ? Ce n'est pas encore le jour.
C'était le rossignol, non l'alouette,
Qui perçait le tympan craintif de ton oreille.
Il chante chaque nuit sous ce grenadier.
Crois-moi, mon bien-aimé, c'était le rossignol.

ROMÉO

C'est l'alouette, hélas, messagère du jour,
Et non le rossignol. Vois, mon aimée,
Quelles lueurs, là-bas, ourlent envieusement
Les nuages à l'est et les séparent.
Les flambeaux de la nuit se sont consumés et l'aube joyeuse
Touche du bout du pied le sommet brumeux des collines.
Je dois partir et vivre, ou rester et mourir.

JULIETTE

Cette lumière, là-bas ? Ce n'est pas le jour !
Je le sais, moi. C'est quelque météore
Qu'exhala le soleil pour qu'il te serve,
Cette nuit, de porte-flambeau, et qu'il te guide
Sur le chemin de Mantoue. Reste donc.
Point n'est besoin encore que tu partes.

ROMÉO

Que l'on me prenne et me fasse mourir !
Je le veux bien, si tu le veux toi-même.
Oui, ce gris des lointains, ce n'est pas le regard de l'aube,
C'est le pâle reflet du front de Cynthia, rien d'autre,
Et ce n'est pas l'alouette, dont les trilles
Frappent la voûte du ciel si haut par-dessus nos têtes.
J'ai plus désir de rester que volonté de partir.
Viens, mort, et sois la bienvenue, puisque Juliette le veut.
Comment vas-tu, mon âme ? Parlons, ce n'est pas le jour.

JULIETTE

Mais si, mais si ! Oh, va-t'en vite, pars, sauve-toi !
C'est l'alouette qui chante, et si mal, si faux,
Forçant sa voix criarde et discordante
A ces laides notes aiguës. L'alouette, dit-on,
Répand de douces harmonies. Ce n'est pas vrai,
Puisqu'elle brise la nôtre. Et l'on dit encore
Que l'alouette et le détestable crapaud
Ont échangé leurs yeux, — que n'ont-ils troqué
Leurs voix aussi, puisque cette voix nous alarme
Et délie notre étreinte et te chasse, en faisant sonner
Une fanfare à l'adresse du jour. Oh, sauve-toi !
Il fait de plus en plus clair.

ROMÉO

Oui, de plus en plus clair.
Et de plus en plus noires sont nos souffrances.

Entre précipitamment la nourrice.

LA NOURRICE

Madame !

JULIETTE

Nourrice.

LA NOURRICE

Madame votre mère vient vous trouver dans la chambre.
Il fait jour, soyez bien prudents, méfiez-vous.

Elle sort. Juliette verrouille la porte.

JULIETTE

Eh bien, fenêtre,
Laisse entrer le jour et sortir ma vie.

ROMÉO

Adieu, adieu ! Un baiser encore, et je saute.

Il descend par l'échelle.

JULIETTE

Tu pars, ainsi ? Mon amour, mon seigneur, mon époux, mon frère,
Je veux avoir des nouvelles de toi
Chaque jour de chaque heure, puisqu'il y aura tant de jours
Dans la moindre minute. Oh, à ce compte
Je serai une vieille femme
Avant que je revoie mon Roméo.

ROMÉO, *du verger.*

Adieu.
Je ne perdrai jamais une occasion
De t'envoyer mon salut, cher amour.

JULIETTE

Oh, penses-tu que nous nous reverrons ?

ROMÉO

J'en suis certain, et toutes ces souffrances
Seront nos doux propos dans nos années à venir.

JULIETTE

Oh, Dieu, j'ai l'âme prompte à prévoir le pire...
Il me semble, maintenant que tu es si bas,
Que tu es comme un mort au fond d'une tombe.
Ou bien mes yeux me trompent, ou tu es pâle.

ROMÉO

Croyez-moi, mon aimée, vous aussi me paraissez pâle.
La souffrance assoiffée boit notre sang. Adieu ! Adieu !

Il sort.

JULIETTE

Ô Fortune, Fortune, tous les hommes te disent une inconstante.
Mais s'il en est ainsi, qu'as-tu à faire avec lui
Qui est fameux pour sa fidélité ? Sois inconstante, Fortune,
Car je veux croire qu'alors tu ne le garderas pas
Et me le rendras vite.

LADY CAPULET, *derrière la porte.*

Eh bien, ma fille ! Êtes-vous levée ?

JULIETTE, *elle retire et cache l'échelle.*

Qui m'appelle ? Est-ce madame ma mère ?
A-t-elle veillé si tard, ou est-elle debout si tôt ?
Quel motif imprévu la conduit chez moi ?

Elle déverrouille la porte.
Entre lady Capulet.

LADY CAPULET

Eh bien, Juliette, comment vas-tu ?

JULIETTE

Je me sens mal, madame.

LADY CAPULET

Tu pleures donc toujours la mort de ton cousin ?
Veux-tu désagréger sa tombe de tes larmes ?
Le pourrais-tu qu'il ne revivrait pas.
Finis-en donc. Un chagrin raisonnable
Est signe de beaucoup d'amour,
Mais beaucoup de chagrin est signe de peu de sens.

JULIETTE

Laissez-moi cependant pleurer une perte si sensible.

LADY CAPULET

Ce sera ressentir d'autant plus la perte,
Sans retrouver celui que vous pleurerez.

JULIETTE

Je ressens si fort cette perte
Que je ne puis que le pleurer toujours.

LADY CAPULET

Crois-moi, tu pleures moins sa mort, ma fille,
Que de savoir en vie l'infâme qui l'a tué.

JULIETTE

Quel infâme, madame ?

LADY CAPULET

L'infâme Roméo.

JULIETTE

Entre un infâme et lui, il y a des lieues !
Dieu lui pardonne ! Je l'ai fait moi-même, de tout mon cœur...
Et pourtant nul autant que lui ne me déchire le cœur.

LADY CAPULET

Parce qu'il vit, l'assassin, le traître !

JULIETTE

Oui, madame, hors d'atteinte de mes mains.
Oh, je voudrais que nul autre que moi
Ne venge mon cousin.

LADY CAPULET

Ne crains rien, nous aurons notre vengeance.
Ne pleure plus. J'enverrai quelqu'un à Mantoue,
Où il vit maintenant, vagabond, proscrit,
Lui faire prendre une si bizarre mixture
Qu'il ira sur-le-champ tenir compagnie à Tybalt.
Et ainsi tu seras assouvie, j'espère.

JULIETTE

Assouvie, avec Roméo ? Je ne pourrai l'être,
Qu'en le voyant... Oui, mort — mort est mon pauvre cœur,
Torturé par le sort de mon parent.
Si seulement, madame, vous trouviez
Le porteur du poison, je préparerai le mélange
Et de telle façon que, l'ayant bu,
Roméo dormira en paix. Oh, que mon cœur abhorre
De l'entendre nommer sans pouvoir aller le rejoindre
Pour rassasier l'amour que j'ai... de mon cousin
Sur le corps de celui qui l'a fait mourir.

LADY CAPULET

Trouve, toi, le moyen, et moi je trouverai l'homme.
Mais maintenant, ma petite fille,
Que je te dise une joyeuse nouvelle !

JULIETTE

La joie est la bienvenue, en ces jours si sombres.
De quoi s'agit-il, je vous prie, madame ?

LADY CAPULET

Eh bien, eh bien, tu as un père plein de tendresse,
Mon enfant. Et pour t'arracher à ton affliction,
Il a imaginé une journée de joie
Que tu n'as pas prévue, et que je ne croyais pas si soudaine.

JULIETTE

A la bonne heure, madame. Ce sera quand ?

LADY CAPULET

Eh bien, ma fille, jeudi matin de bonne heure,
Ce jeune, noble et vaillant gentilhomme,
Le comte Paris, dans notre église Saint-Pierre,
Fera allégrement de toi sa joyeuse épouse.

JULIETTE

Par l'église Saint-Pierre et Pierre lui-même,
Il ne fera pas de moi sa joyeuse épouse !
Je m'étonne de cette hâte, et qu'il faille prendre un mari
Avant même que l'homme qui prétend l'être
Soit venu me faire la cour ! Je vous prie, madame,
De dire à mon seigneur et père que je ne veux
Pas me marier encore. Et quand je le voudrai,
Que ce soit avec Roméo, que je déteste, vous le savez,
Plutôt qu'avec Paris... Vraiment, la bonne nouvelle !

LADY CAPULET

Voici votre père, faites-lui vous-même votre réponse.
Voyez comment il la recevra.

Entrent Capulet et la nourrice.

CAPULET

Au coucher du soleil la rosée bruine
Mais quand tombe la nuit de mon neveu,
Il pleut des hallebardes.
Eh, quoi ? Une fontaine, ma fille ? Toujours en larmes ?
Une averse à n'en plus finir ?
Avec rien que ce petit corps
Tu représentes la barque et aussi la mer et le vent.
Car tes yeux, que j'appellerai la mer, sont agités
Du flux et du reflux des larmes ; et la barque, ton corps,
Va sur cette eau salée ; et les vents, tes soupirs,
Qui rivalisent de violence avec tes larmes,
A moins d'un soudain calme vont submerger
Ton corps battu de tempêtes. Eh bien, ma femme,
Lui notifiâtes-vous notre décision ?

LADY CAPULET

Oui, messire ; mais elle s'y refuse et vous remercie.
La sotte !
Je voudrais la voir mariée à sa tombe !

CAPULET

Doucement, je ne vous suis pas, je ne vous suis pas.
Comment ? Elle se refuse ? Elle ne songe pas à nous
remercier ?
Elle n'en est pas fière ? Et ne se tient pas pour bénie,
Toute chétive qu'elle est, d'avoir, grâce à nous,
Décroché pour mari un si valeureux gentilhomme ?

JULIETTE

Fière, non ! Mais je vous sais gré de l'avoir voulu.
Ce qui me fait horreur, je n'en puis être fière,
Mais je vous sais gré de l'horreur que vous m'offrez par amour.

CAPULET

Comment, comment, inepte raisonneuse ?
Qu'est-ce que cela signifie ?
Et « fière » et « je vous sais gré » et en même temps « pas fière »
Et pas de gré... Ah, donzelle, petite garce,
Faites-moi grâce de vos grâces, épargnez-moi vos fiertés,
Mais veuillez exercer vos jolis mollets pour vous rendre
Jeudi, avec Paris, à l'église Saint-Pierre.
Car sinon je t'y porterai sur un chariot de supplice.
Hors d'ici, charogne blafarde, va-t'en, roulure,
Figure de carême !

LADY CAPULET

Allons, allons, perdez-vous l'esprit ?

JULIETTE

Mon cher père, à genoux je vous en supplie,
Écoutez-moi. Soyez patient. Seulement un mot.

CAPULET

Que le diable t'emporte, gourgandine,
Misérable ! Désobéir ! Écoute bien.
Tu seras jeudi à l'église, ou jamais plus
Ne t'avise de prendre place sur mon chemin !
Tais-toi, ne réplique pas, ne rétorque pas.
Femme, les doigts me démangent. Ce n'était guère
Dans notre esprit une bénédiction du ciel

Qu'il nous ait accordé cet unique enfant,
Mais je vois bien maintenant que celui-là même est de trop
Et que nous l'avons eu pour notre malheur.
Ah, va-t'en donc, putain !

LA NOURRICE

Que Dieu au ciel la bénisse !
Vous avez tort, monseigneur, de la rudoyer comme ça.

CAPULET

Et pourquoi donc, Madame Sagesse ?
Tenez votre langue, Mère Prudence.
Allez plutôt jacasser avec vos commères.

LA NOURRICE

Je n'ai rien dit que de franc.

CAPULET

Taratata ! Et bonsoir.

LA NOURRICE

On ne peut plus parler.

CAPULET

La paix, stupide radoteuse !
Va soulager ta conscience en buvant avec tes commères.
Nous n'avons pas besoin de ça par ici.

LADY CAPULET

Vous vous emportez trop.

CAPULET

Pain de Dieu ! Cela me rend fou. Le jour, la nuit,
Au travail comme au jeu, seul ou en société,

Mon unique souci fut de la marier comme il faut.
Et quand je lui procure un noble de haut lignage,
Pourvu de bonnes terres, jeune, éduqué comme un grand seigneur,
Bourré, comme l'on dit, des dons les plus méritoires,
Aussi parfait qu'on peut le vouloir,
Il faut que la pleurnicheuse, la sotte, la misérable,
La petite poupée geignarde, devant sa chance,
Me réponde : « Je ne veux pas me marier, je ne puis aimer,
Je suis trop jeune, je vous prie, veuillez m'excuser. »
Ah, je vais t'excuser, moi, si tu ne veux pas du mariage !
Tu iras paître où tu veux ; mais pas chez moi.
Penses-y, prends-y garde ; je n'ai pas coutume de plaisanter.
Jeudi n'est pas bien loin. La main sur le cœur, avise.
Si tu veux être ma fille je te donne à un mien ami,
Sinon, va te faire pendre. Va mendier, jeûner, crever dans les rues,
Car, sur mon âme, jamais je ne te voudrai reconnaître,
Jamais rien de mes biens ne te reviendra.
N'en doute pas et penses-y. Je tiendrai parole.

Il sort.

JULIETTE

N'y a-t-il pas de pitié dans les nues
Pour contempler le fond de ma douleur ?
Ô ma mère, ma tendre mère, ne me rejetez pas.
Retardez ce mariage d'un mois, d'une semaine
Ou, sinon, préparez ma couche nuptiale
Dans le noir monument où Tybalt repose.

LADY CAPULET

Ne me parle pas, car je n'ai rien à te dire.
Fais comme tu l'entends, j'en ai fini avec toi.

Elle sort.

JULIETTE

Ô mon Dieu ! Ô nourrice, comment empêcher cela ?
Mon époux est sur terre, ma foi au ciel,
Comment ma foi reviendrait-elle sur terre
A moins que mon mari ne me la retourne du ciel
En quittant lui-même la terre ? Conseille-moi, soutiens-moi.
Hélas, hélas, se peut-il que le ciel tende des pièges semblables
A une créature aussi chétive que moi.
Que dis-tu ? N'as-tu pas un mot de réconfort ?
Ranime-moi, nourrice.

LA NOURRICE

Ma foi, voici ce que je pense : ce Roméo
Est banni. Et je gage le monde entier
Qu'il n'osera jamais venir vous reprendre,
Ou, s'il le fait, ce sera bien sûr en cachette.
Alors, au point où en sont les choses,
Je pense qu'il vaut mieux que vous épousiez le comte.
Oh, c'est un charmant gentilhomme !
Roméo près de lui n'est qu'une lavette. Un aigle, madame,
N'a pas l'œil aussi vert, aussi vif, aussi amoureux [14]
Quc lc comte Paris. Que maudit soit mon cœur
Si je ne pense pas que c'est de la chance,
Ce deuxième mari, tant il surpasse
Votre premier… En tout cas, celui-ci est mort,
Ou autant vaudrait qu'il le soit, puisque vous restez à Vérone
Sans qu'il vous soit possible d'en profiter.

JULIETTE

Dis-tu cela du fond de ton cœur ?

LA NOURRICE

Et du fond de mon âme !
Sinon, maudits soient-ils, mon âme et mon cœur.

JULIETTE

Amen.

LA NOURRICE

Quoi ?

JULIETTE

Eh bien, tu m'as merveilleusement consolée,
Va rejoindre ma mère et dis-lui que je suis allée,
Puisque j'ai contrarié mon père, me confesser
Devant Laurent, et me faire absoudre par lui.

LA NOURRICE

Sainte Vierge, j'y vais. Voilà qui est raisonnable.

Elle sort.

JULIETTE

Vieille diablesse ! Abominable monstre !
Quel est le pire péché, de me vouloir si parjure
Ou de dénigrer mon seigneur avec cette langue
Qui l'a porté aux nues tant et tant de fois ?
Va, conseillère !
Entre toi et mon cœur il n'y a plus rien.
Je vais trouver le frère et lui demander son remède.
Si tout me fait défaut j'ai le pouvoir de mourir.

Elle sort.

ACTE IV

Scène I

La cellule de frère Laurent.

Entrent le FRÈRE *et le comte* PARIS.

FRÈRE LAURENT

Jeudi, monsieur ? C'est bien court.

PARIS

Mon père Capulet le désire aussi,
Et s'il veut faire vite,
Il n'y a rien en moi pour le modérer.

FRÈRE LAURENT

Vous dites ne rien savoir des sentiments de la jeune dame,
Tout cela n'est pas régulier, et ne me plaît pas.

PARIS

Elle pleure sans fin la mort de Tybalt,
Aussi je lui ai peu parlé d'amour,

Car Vénus ne rit pas dans la maison des larmes.
Mais son père, monsieur, voit quelque péril
Dans un tel abandon à la souffrance
Et, sagement, il veut hâter notre mariage
Pour arrêter le débordement de ses pleurs
Qui, augmenté par la solitude,
Pourrait être tari par ma société.
Vous comprenez maintenant pourquoi il faut faire vite.

FRÈRE LAURENT, *à part.*

Oh, je sais trop pourquoi
Il faudrait ralentir... *(Haut.)* Voyez donc, monsieur,
Voici que vient la jeune dame, à ma cellule.

Entre Juliette.

PARIS

Ma dame, mon épouse ! C'est une heureuse rencontre !

JULIETTE

Je serai votre épouse, monseigneur,
Quand je pourrai en être une.

PARIS

Ce « je pourrai » sera, jeudi prochain, mon amour.

JULIETTE

Ce qui doit être sera.

FRÈRE LAURENT

C'est écrit quelque part.

PARIS

Veniez-vous pour vous confesser à ce bon père ?

JULIETTE

Vous le dire serait me confesser à vous.

PARIS

N'allez pas démentir que vous m'aimez.

JULIETTE

Je vais vous confesser que je l'aime, lui.

PARIS

Ensuite, que vous m'aimez, j'en suis certain.

JULIETTE

Si je fais cet aveu,
Il vaudra d'être dit dans votre dos
Plutôt qu'en face de vous.

PARIS

Ta face à toi, pauvre âme,
A bien souffert de ces pleurs.

JULIETTE

Piètre victoire pour elles ! Car mon visage
Ne valait pas beaucoup avant leurs ravages.

PARIS

Avec ces mots tu l'offenses plus qu'elles !

JULIETTE

La vérité, monsieur, n'est pas calomnie :
A mon propre visage je puis la dire.

PARIS

Ton visage est à moi ; tu l'as calomnié.

JULIETTE

Peut-être bien. C'est vrai qu'il n'est pas à moi…
Avez-vous un instant, mon père ?
Ou dois-je revenir à l'heure de vêpres ?

FRÈRE LAURENT

J'ai ce loisir maintenant, mon enfant soucieuse…
Monseigneur, nous avons à rester seuls.

PARIS

Dieu me préserve de troubler vos dévotions !
Juliette, je viendrai jeudi vous réveiller de bonne heure.
Jusque-là, au revoir ! Et gardez ce chaste baiser.

Il sort.

JULIETTE

Oh, ferme cette porte, et vite, vite,
Viens pleurer avec moi ! Il n'y a plus d'espoir,
Plus de remède ni de ressources.

FRÈRE LAURENT

Je sais déjà ton malheur, Juliette.
Il passe le pouvoir de mon esprit.
J'ai appris que tu dois, sans délai possible,
Être jeudi prochain mariée à ce comte.

JULIETTE

Ne me dis pas, mon père, que tu l'as su
Sans m'enseigner comment je puis m'en défendre.
Si tu ne peux m'aider, toi qui es un sage,
Eh bien, dis seulement : ta décision est sage,
Et ce fer aussitôt l'exécutera.
Au cœur de Roméo Dieu a uni mon cœur,
Toi, tu unis nos mains ; et avant que la mienne,

Scellée à Roméo par toi, ne contresigne
Un nouveau parchemin ; avant qu'un cœur fidèle
En un traître sursaut ne forme un autre amour,
Ceci les détruira... Par conséquent,
De ta longue expérience tire vite
Quelque conseil : sinon, sinon, regarde,
Entre l'extrémité de ma souffrance et moi,
Ce couteau cruel sera juge, il décidera
D'un litige que ni ton art ni l'autorité de tes ans
N'auront su arbitrer selon l'honneur.
Ne tarde pas autant à parler. Il me tarde, à moi, de mourir
Si ce que tu vas dire ne m'apporte pas de remède.

FRÈRE LAURENT

Arrête, mon enfant ! J'entrevois l'ombre d'une espérance,
Mais qui exige les ressources d'un désespoir
Égal à l'affliction que nous voulons vaincre.
Si, plutôt qu'épouser le comte Paris,
Tu as la force d'âme de vouloir te faire périr,
Alors, tu es capable, je le crois bien,
D'actes semblables à la mort, pour écarter
Ce déshonneur, toi qui pour t'y soustraire
Envisages la mort. Oseras-tu ?
Alors, voici le remède.

JULIETTE

Oh, plutôt qu'épouser Paris, commande-moi
De sauter du plus haut des créneaux d'une tour,
Ou d'errer dans les rues du crime. Mande-moi
De me cacher parmi des serpents. Rive-moi
Avec des ours grondants, enferme-moi
De nuit dans un charnier empli jusqu'au faîte
Des os s'entrechoquant des morts, tibias fétides,
Crânes jaunâtres sans mâchoire... Commande-moi

D'aller dans une tombe creusée de frais
Me coucher près d'un mort sous son linceul !
Tout cela, j'ai frémi quand on le raconte et pourtant
Je le ferais sans crainte ni défaillance
Pour garder son épouse à mon cher amour.

FRÈRE LAURENT

Écoute donc ! Rentre à la maison, sois joyeuse,
Accepte d'épouser Paris. Est-ce demain mercredi ?
Bien, veille demain soir à te coucher seule,
Éloigne la nourrice de ta chambre,
Prends cette fiole et, une fois au lit,
Bois la liqueur qui y est distillée
Et qui va aussitôt, dans tes veines, répandre
Un fluide engourdissant et froid. Son mouvement
Naturel suspendu, ton pouls s'arrêtera.
Ni souffle ni chaleur n'attesteront que tu vis.
Les roses de tes lèvres et de tes joues
Deviendront cendre livide, et les volets de tes yeux
S'abaisseront comme si la mort les fermait
Au soleil de la vie. Chaque partie du corps,
Privée de sa souplesse, se fera
Roide, dure et glacée comme dans la mort.
Sous cet aspect d'emprunt de cadavre sec
Tu resteras quarante-deux heures de suite,
Pour t'éveiller enfin comme d'un doux sommeil.
Mais, quand viendra le fiancé, au matin,
Te tirer de ton lit, il te trouvera morte
Et, comme il est d'usage dans notre ville,
Dans ta plus belle robe, à découvert,
On te transportera dans l'antique caveau
Où tous les Capulet reposent… Pendant ce temps,
Bien avant que tu ne t'éveilles, Roméo
Apprendra par mes lettres notre plan,
Il viendra jusqu'ici. Et lui et moi

Épierons ton réveil ; et la même nuit, Roméo
T'emportera loin d'ici, à Mantoue.
Voilà qui va te libérer de ton indignité d'à présent,
Si nul caprice futile, nulle frayeur féminine
N'abattent ton courage au moment d'agir.

JULIETTE

Oh, donne-moi, donne-moi ! Ne parle pas de frayeur !

FRÈRE LAURENT

Prends donc et va. Sois forte, et fortunée
Dans ta résolution. Moi, j'envoie vite un frère
A Mantoue, avec une lettre pour ton seigneur.

JULIETTE

Que l'amour me donne des forces et ces forces me sauveront.
Adieu, mon tendre père.

Ils sortent.

Scène II

La maison des Capulet.

Entrent CAPULET, LADY CAPULET, *la* NOURRICE *et deux ou trois* SERVITEURS.

CAPULET

Invite tous ces gens qui sont notés là sur la liste,

Un serviteur sort.

Et toi, maraud, va m'engager vingt cuisiniers experts.

LE SERVITEUR

Vous n'en aurez pas de médiocres, monsieur, car je vérifierai qu'ils savent bien se lécher les doigts.

CAPULET

Comment entends-tu cela ?

LE SERVITEUR

Dame, monsieur, c'est un bien mauvais cuisinier, celui qui ne sait pas se lécher les doigts. Alors, celui qui ne sait pas se lécher les doigts, eh bien, ce n'est pas mon homme.

CAPULET

Allons, va.

Il sort.

Cette fois nous allons être pris de court. Eh bien,
Ma fille est-elle allée chez frère Laurent ?

LA NOURRICE

Oh, sûr que oui.

CAPULET

Bon, il n'est pas exclu qu'il exerce sur elle
Une heureuse influence. Petite garce,
Volontaire et butée comme pas une !

Entre Juliette.

LA NOURRICE

Voyez-la qui revient de confesse, l'air réjoui.

CAPULET

Eh bien, tête de bois, où étais-tu à courir ?

JULIETTE

Là où l'on m'a appris à me repentir
De ce péché, mon refus de m'astreindre
A vos commandements ; il m'a été prescrit
Par le saint frère Laurent de me jeter à vos pieds
Pour implorer pardon. Oh, pardon, je vous prie,
En tout je vous obéirai, dorénavant.

CAPULET

Trouvez le comte, prévenez-le.
Je veux que ce nœud-là soit noué dès demain matin.

JULIETTE

J'ai rencontré ce jeune seigneur
A la cellule de Laurent, et je lui ai montré
Autant d'amour qu'il est convenable
Dans les étroits confins de la modestie.

CAPULET

Eh bien, j'en suis content. C'est bien, relève-toi,
Tout va comme il le faut. Voyons, voyons, le comte...
Mais oui, parbleu, allez le chercher, vous disais-je.
Ah, par le ciel, le saint, le révérend frère !
Vraiment, toute la ville lui doit beaucoup.

JULIETTE

Venez-vous avec moi dans ma penderie, nourrice,
Pour m'aider à choisir ce qu'il me faut de parure
A votre avis, pour demain ?

LADY CAPULET

Non, pas avant jeudi. Nous avons le temps.

CAPULET

Va avec elle, nourrice. Nous irons demain à l'église.

Sortent la nourrice et Juliette.

LADY CAPULET

Nous serons pris de court pour tout préparer.
Il fait déjà presque nuit.

CAPULET

Bah, je vais me remuer,
Et tout ira fort bien, je te l'assure, ma femme.
Toi, va près de Juliette, aide-la à se faire belle.
Je ne me couche pas ce soir. Laisse-moi faire.
Pour cette fois je joue à la ménagère. Holà, ho !
Tous partis ? Soit, j'irai moi-même, moi-même
Préparer le comte Paris à la journée de demain.
C'est étonnant comme mon cœur est plein d'allégresse
Depuis que s'est rendue ma petite rebelle.

Ils sortent.

Scène III

La chambre de Juliette.

Entrent JULIETTE *et la* NOURRICE.

JULIETTE

Oui, ces vêtements-là sont les plus jolis.
Mais, ma douce nourrice,
Je te prie cette nuit de me laisser seule

Car j'ai besoin de beaucoup prier, tu le sais,
Pour obtenir du ciel qu'il me sourie
Dans cette situation difficile, et impure.

Entre Lady Capulet.

LADY CAPULET

Vous êtes occupées ? Avez-vous besoin de mon aide ?

JULIETTE

Non, madame,
Nous avons décidé de toutes les choses
Qu'il faut pour notre fête de demain.
Aussi, je vous en prie, laissez-moi seule
Et laissez la nourrice veiller ce soir près de vous
Car vous avez, j'en suis sûre, bien du travail sur les bras
Dans une occasion si pressante.

LADY CAPULET

Bonne nuit.
Couche-toi et dors bien, tu en as besoin.

Elle sort, avec la nourrice.

JULIETTE

Adieu !
Quand nous reverrons-nous ? Dieu seul le sait.
Je sens un vague frisson de peur
S'épandre dans mes veines et glacer presque
La chaleur de ma vie... Je vais les rappeler
Pour qu'elles me rassurent. Ma nourrice !...
Que ferait-elle ici ? Cette scène lugubre,
Je dois la jouer seule... Le flacon !
Oh, si cette mixture n'agissait pas ?
Serais-je alors mariée, demain matin ?

Non, non ! Ceci l'empêcherait.
Toi, reste ici...

Elle pose un poignard près d'elle.

Ou si c'était un poison que le frère
M'administre sournoisement, pour que je meure,
Craignant d'être déshonoré par ce mariage,
Lui qui m'unit d'abord avec Roméo ?
J'en ai peur... Et pourtant je ne puis le croire
Car il s'est révélé un saint homme, toujours.
Oh, que faire, quand je serai dans cette tombe,
Si je m'éveille avant que Roméo ne vienne
M'en délivrer ? Dieu, l'idée est horrible.
N'étoufferai-je pas dans cette crypte
Dont la bouche infecte jamais n'a respiré d'air salubre,
N'y mourrai-je pas, asphyxiée, avant que mon Roméo n'arrive,
Ou, si je vis, n'est-il pas probable
Que l'horrible impression de mort et de nuit,
Renforcée par l'horreur qu'inspire le lieu...
Cet antique sépulcre, ce réceptacle
Où depuis tant de siècles sont entassés
Les os de mes ancêtres ensevelis ;
Où Tybalt encore sanglant bien qu'en terre fraîche,
Pourrit dans son linceul ; et où, dit-on,
A certaines heures de nuit les esprits reviennent !
— Oh oui, hélas, hélas, n'est-il pas probable
Qu'en m'éveillant trop tôt — ah, s'il est un éveil
Dans ces odeurs infectes, ces cris stridents
De mandragore arrachée à la terre
Qui rendent fous les mortels qui entendent !
— Probable, oui, que j'en perdrai la tête
Environnée de toutes ces horreurs ;
Et ne jouerai-je pas, comme une folle
Avec les ossements de mon ascendance ?

Ne tirerai-je pas Tybalt de son suaire,
Tybalt déchiqueté ? Et prenant pour massue
Dans ma fureur un os de quelque grand ancêtre,
N'en briserai-je pas ma cervelle égarée ?
Que vois-je ? N'est-ce pas le spectre de mon cousin
Poursuivant Roméo, qui l'embrocha
Sur la pointe de son épée ? Arrête, Tybalt, arrête !
J'arrive, Roméo ! C'est à toi que je bois ceci.

Elle tombe sur son lit, derrière les rideaux.

Scène IV

Une salle de la maison des Capulet.

Entrent LADY CAPULET *et la* NOURRICE *avec des herbes.*

LADY CAPULET

Tiens, prends ces clés, nourrice, et trouve-moi d'autres épices.

LA NOURRICE

Les pâtissiers réclament des coings et des dattes.

Entre le vieux Capulet.

CAPULET

Activez, activez ! C'est le second cri du coq
Le bourdon a sonné, il est trois heures.
Surveille les pâtés, ma bonne Angélique,
N'économise pas !

LA NOURRICE

Allez, allez, monsieur notre gouvernante,
Allez vous mettre au lit ! Vous serez malade, demain,
D'avoir veillé toute cette nuit, croyez-moi !

CAPULET

Pas du tout ! J'ai déjà passé des nuits blanches
Pour bien moins que cela. Et pas malade.

LADY CAPULET

Oui-da, du temps que vous chassiez la souris.
Mais j'y veillerai désormais, à cette sorte de veille.

Elle sort avec la nourrice.

CAPULET

Jalousie ! Jalousie !

Entrent trois ou quatre serviteurs portant des broches, des bûches et des paniers.

Eh, mon ami, qu'est-ce là ?

PREMIER SERVITEUR

C'est pour le cuisinier, monsieur. Un je ne sais quoi.

CAPULET

Vite, vite !

Sort le premier serviteur.

Et toi, maraud, va chercher des bûches plus sèches.
Appelle Pierre, il va te dire où elles se trouvent.

SECOND SERVITEUR

J'ai la tête qu'il faut pour faire la nique aux bûches.
Pas besoin de déranger Pierre, monsieur.

CAPULET

Par la messe, bien répondu ! Ha, le joyeux fils de pute !
Je te nomme le roi des bûches.

Sort le second serviteur.

Diable, il fait jour !
Le comte avec ses musiciens sera là bientôt,
Comme il l'a dit... *(Musique).* Je l'entends qui vient.
Nourrice ! Femme ! Holà ! Nourrice ? Je t'appelle.

Entre la nourrice.

Va réveiller Juliette ; aide-la à se préparer.
Moi, je retiens le comte en bavardant. Ouste, fais vite,
Oui, le marié est déjà là, fais vite.
Fais vite, je te dis !

Ils sortent.

Scène V

La chambre de Juliette.

Entre la NOURRICE.

LA NOURRICE

Maîtresse ! Ho, ma maîtresse ! Elle en écrase, je vous le dis.
Eh, mon agneau ! Eh, madame ! Fi, la vilaine marmotte !
Vous m'entendez, ma chérie ? Allons, madame, mon petit cœur,
Eh, la mariée ! Quoi, pas une réponse ?
Vous en prenez votre saoul, maintenant ? Oui, dormez
Pour toute la semaine,
Car je vous le promets, cette nuit qui vient,

Le comte Paris va jouer à fond,
Vous ne reposerez pas. Dieu me pardonne !
Sainte Vierge, Jésus, comme elle dort !
Il faut pourtant que je la réveille. Madame, madame, madame !
Voulez-vous que le comte vous prenne au lit ?
C'est lui qui vous ferait sauter, non ? Ma parole !

Elle écarte les rideaux.

Comment, tout habillée ? Dans votre robe, et puis recouchée ?
Il faut que je vous réveille. Madame, madame, madame !
Hélas, hélas ! Au secours ! ma maîtresse est morte !
Oh, maudit soit le jour où je suis née !
De l'eau-de-vie ! Monseigneur ! Madame !

Entre lady Capulet.

LADY CAPULET

Qu'est-ce que tout ce bruit ?

LA NOURRICE

Ô lamentable jour !

LADY CAPULET

Que se passe-t-il ?

LA NOURRICE

Voyez, voyez ! Oh, le terrible jour !

LADY CAPULET

Oh, Dieu, Dieu ! Mon enfant, toute ma vie !
Ranime-toi, rouvre les yeux ou je vais mourir avec toi.
Au secours, au secours ! Appelle au secours !

Entre Capulet.

CAPULET

Que diable, amenez donc Juliette : son seigneur et maître est ici.

LA NOURRICE

Elle est morte, elle est décédée. Elle est morte, malheureux jour !

LADY CAPULET

Malheureux jour ! Elle est morte, morte, morte !

CAPULET

Ah, laissez-moi la voir. C'est fini, hélas, elle est froide.
Son sang s'est arrêté, ses membres sont raides,
La vie depuis longtemps a quitté ses lèvres.
La mort est sur son corps, comme un gel précoce
Sur la plus douce fleur de tout le vallon.

LA NOURRICE

Ô lamentable jour !

LADY CAPULET

Ô temps du désespoir !

CAPULET

La mort qui me l'a prise afin que je me lamente,
Me lie la langue et ne me laisse rien dire.

Entrent le frère et le comte avec des musiciens.

FRÈRE LAURENT

Eh bien, notre mariée,
Est-elle prête à se rendre à l'église ?

CAPULET

Prête à s'y rendre, mais pour n'en jamais revenir.
Ô mon fils, la nuit d'avant ton mariage,
L'Ange de la mort a couché
Avec ta femme. Elle est là, gisante,
Cette fleur qu'elle était, il l'a déflorée,
L'Ange de la mort est mon gendre, mon héritier,
Le mari de ma fille ! Je veux mourir,
Lui laissant tout : ma vie, mon train de vie,
Que tout aille à la mort !

PARIS

N'ai-je tant désiré ce jour
Que pour le voir m'offrir un pareil spectacle ?

LADY CAPULET

Jour maudit, malheureux, misérable, haïssable !
Heure la plus atroce que le temps
Ait jamais rencontré dans le pénible cours
De son pèlerinage ! Oh, n'avoir qu'un enfant,
Un seul et pauvre et affectueux enfant
En qui se réjouir et se consoler,
Et que la mort cruelle vienne l'arracher de mes bras !

LA NOURRICE

Ô malheur ! Ô malheureux jour ! Ô malheureux !
Très lamentable jour, le plus malheureux
Que j'aie jamais connu, jamais, jamais !
Ô jour, ô jour, ô jour, ô jour odieux !
Jamais on n'aura vu un jour aussi noir.
Jour de malheur, de malheur !

PARIS

Trompé, divorcé, lésé,
Outragé et assassiné ! Très détestable mort,

C'est toi qui m'as trompé, toi, cruelle, cruelle,
Qui m'as anéanti ! Oh, mon amour, ma vie !
Non plus certes la vie, mais l'amour dans la mort.

CAPULET

Méprisé, affligé, haï,
Persécuté, tué ! Ô sinistre moment,
Pourquoi es-tu venu mettre à mort notre fête,
Oui, mettre à mort ! Mon enfant, mon enfant,
Mais non, plus mon enfant : mon âme — tu es morte !
Malheur à moi, mon enfant est morte,
Et avec mon enfant mes joies sont enterrées.

FRÈRE LAURENT

Silence, par pudeur ! Le remède de ce désastre
N'est pas dans ce chaos. Le ciel et vous,
Vous partagiez cette belle enfant ; désormais
Le ciel l'a toute à lui, et pour elle cela vaut mieux.
Puisque vous ne pouviez la garder de mourir
Tandis qu'en éternelle vie les puissances du ciel la gardent.
Le plus que vous vouliez, c'était son triomphe,
C'était tout votre ciel qu'elle s'élevât,
Et vous pleurez, à l'heure où elle s'élève
Au-dessus des nuages, et jusqu'au ciel !
Oh, en l'aimant ainsi, vous l'aimez si mal
Que vous devenez fous de la voir heureuse.
C'est une mal mariée, celle qui le reste longtemps,
La mieux mariée, c'est celle qui meurt jeune.
Séchez vos pleurs, posez vos branches de romarin
Sur ce beau corps, et, selon la coutume,
Dans ses plus beaux atours faites-la porter à l'église.
Notre faible nature nous contraint de verser des larmes,
Mais ces larmes de la nature sont le rire de la raison.

CAPULET

Tout ce que nous avions arrangé pour la fête
Va se prêter aux noires funérailles.
Nos instruments au glas mélancolique,
Notre festin de noces au triste repas de deuil
Et, nos chants solennels changés en hymnes funèbres,
Nos fleurs nuptiales jetées avec son corps dans la tombe,
Tout va se transformer en son contraire.

FRÈRE LAURENT

Retirez-vous, seigneur ; et vous-même, madame,
Suivez-le, et vous aussi bien, comte Paris.
Que chacun se prépare à accompagner
Cette belle dépouille jusqu'à sa tombe.
Le ciel tourne vers vous, pour quelque outrage,
Un regard courroucé. Ne l'irritez pas davantage
Par votre rébellion contre son suprême vouloir.

Tous, sauf la nourrice et les musiciens, sortent, après avoir jeté du romarin sur Juliette, et avoir fermé les rideaux.

PREMIER MUSICIEN

Eh bien, autant rentrer nos flûtes et déguerpir.

LA NOURRICE

Ah, faites-le, faites-le, bons amis,
Car, vous voyez, c'est une triste affaire.

PREMIER MUSICIEN

Ma foi, oui, ça pourrait aller un peu mieux.

Sort la nourrice.
Entre Pierre.

PIERRE

Oh, musiciens, musiciens ! « Gai le cœur », « Gai le cœur » ! Si vous voulez que je vive, il faut me jouer « Gai le cœur ».

PREMIER MUSICIEN

Et pourquoi « Gai le cœur » ?

PIERRE

Ô musiciens, parce que mon cœur à moi, il me joue : « Mon cœur a tant de peine. » Oh oui, jouez-moi quelque joyeuse complainte, pour me consoler.

PREMIER MUSICIEN

Pas de complainte. Ce n'est pas le moment de jouer.

PIERRE

Alors, vous ne voulez pas ?

PREMIER MUSICIEN

Non.

PIERRE

Alors, je vais vous en donner, et solide.

PREMIER MUSICIEN

De quoi vas-tu nous donner ?

PIERRE

Non de l'argent, par ma foi, mais de la réputation ! Je vous donnerai du racleur de manche.

PREMIER MUSICIEN

Et moi je te donnerai du cireur de bottes.

PIERRE

Dans ce cas, je te planterai mon couteau de cireur de bottes dans la caboche. Pas question d'encaisser vos doubles croches. Vous connaîtrez mon mi et mon fa. Tu prends note ?

PREMIER MUSICIEN

Donnez-nous plutôt le la, qu'on reçoive une fausse note.

SECOND MUSICIEN

S'il vous plaît, rentrez ce couteau, montrez-nous plutôt votre esprit.

PIERRE

En garde, alors, contre mon esprit ! Je vais vous assommer avec mon esprit de bois, en rengainant mon couteau de fer. Répondez-moi comme des hommes :

> Quand le cœur est blessé d'un poignant chagrin,
> Et l'esprit accablé d'une morne tristesse,
> Voici que la musique aux sons argentins...

Pourquoi des « sons argentins » ? Pourquoi « musique aux sons argentins » ? Tu peux me le dire, Simon du Boyau des Chats ?

PREMIER MUSICIEN

Eh, monsieur, c'est que l'argent a un son bien agréable.

PIERRE

Pas mal. Et qu'en dis-tu, Hugues Le Rebec ?

DEUXIÈME MUSICIEN

Les sons, je dis que c'est argentin, puisque les musiciens les produisent pour de l'argent.

PIERRE

Pas mal non plus. Et qu'en dis-tu, Jacques du Crincrin ?

TROISIÈME MUSICIEN

Ma foi, je ne sais que dire.

PIERRE

Oh, je te demande pardon : j'oubliais que tu es chanteur. Je vais le dire pour toi. C'est « la musique aux sons argentins », parce que vous autres, les musiciens, n'avez jamais d'or à faire tinter.

> Voici que la musique aux sons argentins
> Nous rend bientôt l'allégresse.

Il sort.

PREMIER MUSICIEN

Le puant larbin !

DEUXIÈME MUSICIEN

Qu'il aille se faire pendre ! Viens, entrons là, on va attendre le cortège... et on restera à dîner.

Ils sortent.

ACTE V

Scène I

Mantoue. Une rue.

Entre ROMÉO.

ROMÉO

Si j'en peux croire le sommeil, aux assurances flatteuses
Mes rêves me prédisent pour bientôt
Quelque heureuse nouvelle ; le souverain de mon cœur 15
Est en paix sur son trône ; et tout le jour
Un inusuel entrain m'a soulevé
Par de riantes pensées. J'ai rêvé que venait ma dame,
Qu'elle me trouvait mort — étrange rêve
Qui laisse au mort le pouvoir de penser ! —
Mais qu'elle m'insufflait tant de vie par ses baisers sur mes lèvres
Que je ressuscitais et devenais empereur.
Ah, qu'il doit être doux de posséder son amour,
Si l'ombre seulement en est si riche de joies !

Entre Balthazar, le valet de Roméo.

Des nouvelles de Vérone !... Eh bien, Balthazar ?
Ne m'apportes-tu pas un billet du moine ?
Qu'en est-il de ma dame ? Est-ce que mon père va bien ?
Comment se porte Juliette ? Je reviens à cette question,
Car rien ne peut aller mal si ma Juliette va bien.

BALTHAZAR

Elle va bien, dans ce cas, et rien ne peut aller mal.
Son corps repose dans le sépulcre des Capulet,
Et son âme immortelle a rejoint les anges.
Je l'ai vue déposée dans le caveau de ses pères
Et j'ai pris aussitôt la route pour vous le dire.
Oh, mon maître, pardonnez-moi de vous apporter ces déplorables nouvelles
Puisque vous m'en aviez confié la mission.

ROMÉO

C'est ainsi ? Alors, étoiles, je vous défie !
Tu sais où je demeure ? Va me chercher du papier, de l'encre,
Et louer des chevaux ; je pars ce soir.

BALTHAZAR

Je vous en prie, monsieur, prenez ce mal en patience.
Vous êtes pâle, vous avez l'air égaré,
Cela présage un malheur.

ROMÉO

Bah, tu te trompes.
Laisse-moi, accomplis ce que je t'ai dit de faire.
Tu n'as donc pas de lettres du moine ?

BALTHAZAR

Non, monseigneur.

ROMÉO

Peu importe ! Va vite,
Et loue-moi ces chevaux. Je te rejoins.

Sort Balthazar.

Bien, Juliette, je serai couché près de toi ce soir.
Avisons aux moyens. Ô science de détruire,
Tu viens vite à l'esprit des désespérés.
Je me souviens d'un apothicaire, qui loge
Tout près d'ici. Je le remarquais, récemment,
Pour ses haillons, ses sourcils en broussaille,
Comme il triait des simples. Il montrait sa maigreur
Et que l'âpre misère l'avait usé jusqu'aux os.
Dans sa pauvre boutique pendait l'écaille d'une tortue
Avec un crocodile empaillé et des peaux
De poissons aux formes bizarres ; sur les rayons,
Un sordide ramas de boîtes vides,
De pots de terre verdâtres, de vessies, de graines moisies,
De débris de ficelles, de vieux pains de feuilles de roses,
Était épars en façon d'étalage.
Voyant ce dénuement, je me suis dit :
Si quelqu'un a besoin d'un poison, maintenant
Que la vente à Mantoue en est punie de mort,
Voici un pauvre diable qui pourrait bien le lui vendre.
Eh bien, cette pensée anticipait mon besoin
Et c'est ce besogneux qui va me vendre la drogue.
Si je me souviens bien, ce doit être ici sa maison.
Comme c'est fête aujourd'hui, le gueux a fermé boutique.
L'apothicaire, holà !

Entre l'apothicaire.

L'APOTHICAIRE

Qui appelle si fort ?

ROMÉO

Viens ici, mon ami. Je vois que tu es pauvre,
Tiens, voici quarante ducats ; mais donne-moi
Ce qu'il faut de poison... Je le veux tel
Qu'il passe dans les veines si promptement
Que l'homme désépris de vivre tombe mort.
Mais non sans que son souffle troue sa poitrine
Avec autant de violence
Que dans la mise à feu la poudre explosive
En a pour fuir le terrible canon.

L'APOTHICAIRE

J'ai de ces drogues funestes. Mais à Mantoue
La loi punit de mort ceux qui les dispensent.

ROMÉO

Peux-tu être si nu, si dénué,
Et craindre de mourir ? La faim mange tes joues,
Le besoin et la peur dévorent tes yeux,
Le mépris, pauvre gueux, pèse sur ton dos,
— Le monde, ni sa loi, ne te souffrent guère.
Le monde, dans sa loi, ne t'enrichit pas.
Alors, refuse-la, prends ceci, cesse d'être pauvre.

L'APOTHICAIRE

Ma pauvreté dit oui, contre ma volonté.

ROMÉO

Je paie ta pauvreté, non ta volonté.

L'APOTHICAIRE

Versez ceci dans le liquide de votre goût,
Et buvez tout. Alors, eussiez-vous la force
De vingt hommes, ça vous expédiera.

ROMÉO

Voici ton or, — c'est pour l'âme un poison bien pire,
Qui porte plus de mort dans ce monde vil
Que ces pauvres mixtures que l'on t'empêche de vendre.
C'est moi qui ai vendu le poison, c'est moi seul.
Adieu ; achète de la viande, prends du poids.

Sort l'apothicaire.

Et toi, cordial et non poison, viens avec moi
Au tombeau de Juliette, car c'est là
Que je dois t'employer.

Il sort.

Scène II

Vérone. La cellule de frère Laurent.

Entre FRÈRE JEAN.

FRÈRE JEAN

Saint frère franciscain ! Holà, mon frère !

Entre frère Laurent.

FRÈRE LAURENT

Ce doit être la voix de frère Jean.
Tu es le bienvenu, toi qui reviens de Mantoue.
Que t'a dit Roméo ? M'aurait-il écrit ?
Dans ce cas, donne-moi sa lettre.

FRÈRE JEAN

J'étais allé chercher, pour qu'il m'accompagne,
Un frère déchaussé de notre ordre, qui est en ville

A visiter les malades ; et je l'ai rejoint.
Mais les inspecteurs de Vérone,
Suspectant que le lieu où nous nous trouvions
Était la proie de la peste,
En ont scellé la porte, en nous empêchant de sortir...
Ma course vers Mantoue s'est arrêtée là.

FRÈRE LAURENT

Alors, qui a porté ma lettre à Roméo ?

FRÈRE JEAN

Je n'ai pu l'envoyer — la voici encore —
Tant la contagion était redoutée,
Ni trouver de porteur qui te la remette.

FRÈRE LAURENT

Contretemps désastreux ! Par mon saint Ordre,
Ce n'était pas un pli de pure forme,
Mais lourd de conséquence, et l'avoir négligé
Peut causer bien des maux. Va me chercher, frère Jean,
Un bon levier de fer, et apporte-le-moi
Ici dans ma cellule, tout de suite !

Sort frère Jean.

Il faut donc qu'au caveau je me rende seul.
D'ici trois heures la belle Juliette va s'éveiller
Et certes me maudire de n'avoir pas
Averti Roméo des événements de Vérone.
Mais je vais écrire à Mantoue une fois encore
Et je la garderai dans ma cellule
Jusqu'à ce que Roméo vienne. Pauvre morte vivante,
Murée dans le tombeau avec un mort !

Il sort.

Scène III

Vérone. Un cimetière où se dresse
le monument funéraire des Capulet.

Entrent PARIS *et son* PAGE, *portant des fleurs et une torche.*

PARIS

Donne la torche, petit. Éloigne-toi,
Reste à l'écart... Ou plutôt, éteins-la,
Car je crains d'être vu. Sous ces cyprès, là-bas,
Tu vas t'étendre et plaquer ton oreille
Contre la terre creuse. Ainsi nul pas
Ne foulera le sol du cimetière,
Qui est friable et mou de tant de tombes,
Sans que tu ne l'entendes. Siffle, alors,
Pour m'avertir qu'on vient. Donne-moi les fleurs.
Fais ce que je te dis : éloigne-toi.

LE PAGE, *à part.*

J'ai un peu peur de rester seul, ici au cimetière.
Mais je vais m'y risquer.

Il se retire.

PARIS

Douce fleur, j'ai jonché de fleurs ton lit nuptial
— Hélas, le dais n'en est que terre et pierres —
Et chaque nuit je les humecterai d'eau parfumée
Ou, sinon, de ces pleurs que distilleront mes sanglots.

Voici le rite funèbre que pour toi je veux observer :
Fleurir ta tombe et pleurer, chaque nuit.

Le page siffle.

Mon page m'avertit que quelqu'un approche.
Quels pas maudits s'égarent par ici,
Pour contrarier les rites funéraires
De mon amour, cette nuit ?
Quoi, avec une torche ? Ô ténèbre nocturne,
Enveloppe-moi un instant.

Il se retire.

Entrent Roméo et Balthazar, munis d'une torche, d'un pic, d'un levier de fer.

ROMÉO

Donne-moi le pic, le levier,
Et, tiens, prends cette lettre. Demain, très tôt,
Aie soin de la remettre à mon noble père...
Passe-moi la lumière. Sur ta vie,
Quoi que tu voies, quoi que tu entendes, je t'ordonne
De rester à l'écart et de ne pas m'interrompre.
Si je descends dans cet antre de mort,
C'est pour revoir les traits de ma bien-aimée,
Mais surtout pour reprendre à son doigt inerte
Une bague précieuse, une bague que je destine
A un emploi qui m'est cher. Tu t'en vas donc.
Mais si tu revenais, soupçonneux, pour épier
Ce que je me propose de faire ensuite,
Par le ciel ! Je romprais ta carcasse en mille morceaux
Et je joncherais de tes membres ce cimetière affamé.
L'heure et mes intentions sont épouvantables
Et bien plus implacables et plus farouches
Que le tigre affamé ou la fureur de la mer !

BALTHAZAR

Je pars, seigneur, je ne veux pas vous déranger.

ROMÉO

Et ainsi tu me montreras de l'amitié. Tiens, prends ceci,
Vis, mon brave garçon, et sois heureux. Adieu.

BALTHAZAR, *à part.*

Ça ne fait rien, je vais me cacher par là.
Son aspect me fait peur, ses intentions m'inquiètent.

Il se retire.

ROMÉO

Ô détestables gueule et ventre de la mort
Qui vous êtes repus de ce que notre terre
Avait de plus précieux ! Voici comment je force
Vos mâchoires pourries... Et je parviendrai bien

Il commence à ouvrir la tombe.

A vous gorger d'une nouvelle chair.

PARIS, *à part.*

C'est l'orgueilleux Montaigu, le banni,
L'assassin du cousin de ma bien-aimée,
Dont le chagrin — ô délicieuse créature ! —
A sans doute causé la mort. Et le voici
Qui vient faire subir quelque infâme outrage
A leurs dépouilles. Oh, je vais l'arrêter...

Il s'avance.

Interromps ta besogne impie, vil Montaigu !
Comment peut-on poursuivre encore la vengeance
Au-delà de la mort ? Ô misérable, ô proscrit, je t'arrête.
Obéis et suis-moi, tu dois mourir.

ROMÉO

Je dois mourir, c'est vrai, — et c'est même pourquoi
Je suis venu ici. Brave jeune homme,

Ne tente pas un être désespéré.
Fuis, laisse-moi. Médite tous ces morts,
Laisse-toi effrayer... Je t'en supplie,
Ne charge pas mon cœur d'un péché de plus
En excitant ma colère. Va-t'en, va-t'en !
Par Dieu, je t'aime davantage que moi-même,
Car c'est armé contre moi seul que je suis venu jusqu'ici.
Ne reste pas, va-t'en ! Vis et dis-toi, plus tard,
Que la miséricorde d'un fou t'a commandé de t'enfuir.

PARIS

Je ne veux rien savoir de tes adjurations
Et je t'arrête pour félonie.

ROMÉO

Tu veux me provoquer ? Soit, mon garçon, en garde !

Ils se battent.

LE PAGE

Oh, Seigneur, ils se battent. Je vais alerter le guet.

Il sort en courant.

PARIS

Oh, il m'a tué ! *(Il tombe.)* Si tu as quelque miséricorde,
Ouvre la tombe et couche-moi près de Juliette.

Il meurt.

ROMÉO

Je le veux bien, ma foi ! Mais voyons ce visage...
C'est le cousin de Mercutio, le noble comte Paris !
Que me disait mon valet, quand nous chevauchions vers
Vérone
Et que mon âme bouleversée ne l'écoutait guère ? Je crois

Qu'il disait que Paris devait épouser Juliette.
Me l'a-t-il dit ? Ou l'ai-je rêvé ? Ou bien même
Suis-je assez fou, l'entendant parler de Juliette,
Pour m'être imaginé cela ? Oh, donne-moi ta main,
Qui a signé auprès de la mienne au noir livre de l'infortune,
Je vais t'ensevelir dans ce magnifique tombeau.
Un tombeau ? Certes non, jeune victime, un phare
Car Juliette y repose, et sa beauté
Fait de ces voûtes la salle illuminée d'une fête.
Mort, couche-toi ici, enterré par un autre mort.

Il dépose Paris dans le caveau.

Combien de fois les hommes qui vont mourir
Ont ce moment de joie, que les gardes-malades
Nomment l'éclair de la fin. Mais moi, comment pourrais-je
Dire un éclair cette heure ? Ô mon amour, ma femme !
La mort, qui a sucé le miel de ton haleine,
N'a pas encore eu prise sur ta beauté
Et tu n'es pas vaincue. L'oriflamme de la beauté
Est toujours pourpre sur tes lèvres et tes joues,
Et le drapeau livide de la mort
N'y a pas encore paru. Est-ce toi, Tybalt,
Qui gis ici, dans ton linceul sanglant ?
Eh bien, puis-je mieux faire, en réparation,
Que, de la même main qui faucha ta jeunesse,
Anéantir celui qui fut ton ennemi ?
Pardonne-moi, cousin... Ah ! Juliette chérie,
Pourquoi es-tu si belle encore ? Dois-je croire
Que l'impalpable mort serait amoureuse,
Et que ce monstre honni et décharné
Te garde dans le noir pour que tu sois sa maîtresse ?
Par crainte de cela je veux rester près de toi,
Et jamais, du palais de cette nuit obscure,
Jamais ne ressortir. Ici je veux rester
Avec les vers qui sont tes chambrières. C'est ici

Que je veux mettre en jeu mon repos éternel
Et arracher au joug des étoiles contraires
Ma chair lasse du monde... Un regard ultime, mes yeux,
Une étreinte ultime, mes bras ! et vous, ô portes du souffle,
Vous, mes lèvres, scellez d'un baiser permis
Mon contrat éternel avec l'avide mort.
Viens, mon amer pilote, mon âcre guide !
Ô nocher de mon désespoir, précipite d'un seul élan
Sur le roc écumeux ta barque fatiguée
Des houles de la mer. Je bois à mon amour.

Il boit.

Que ta drogue est rapide, honnête apothicaire,
Sur un baiser je meurs.

Il meurt.

Entre frère Laurent, avec une lanterne, un levier et une bêche.

FRÈRE LAURENT

Saint François me soit secourable ! Combien de fois
Mes vieux pieds ont buté dans l'obscurité sur les tombes !
Qui va là ?

BALTHAZAR

Un ami. Quelqu'un qui sait qui vous êtes.

FRÈRE LAURENT

Soyez béni ! Dites-moi, mon bon camarade,
Qu'est-ce que cette torche, là-bas, qui éclaire si vainement
Les larves et les crânes sans regard ?
Autant que je puisse voir,
Elle brûle au caveau des Capulet.

BALTHAZAR

C'est bien cela, saint homme.
Il y a là mon maître, que vous aimez.

FRÈRE LAURENT

Qui est-ce ?

BALTHAZAR

Roméo.

FRÈRE LAURENT

Depuis quand est-il là ?

BALTHAZAR

Au moins une demi-heure.

FRÈRE LAURENT

Viens avec moi au caveau.

BALTHAZAR

Je n'ose pas, monsieur.
Mon maître croit que je suis parti,
Et il m'a menacé de mort, avec des paroles terribles,
Pour le cas où je resterais à épier ses actes.

FRÈRE LAURENT

Reste donc, j'irai seul. La peur me prend.
Oh, j'appréhende une issue malheureuse...

BALTHAZAR

Et comme je dormais sous cet if, ici,
J'ai rêvé que mon maître se battait avec un autre homme
Et qu'il le tuait !

FRÈRE LAURENT

Roméo !

Il s'avance.

Hélas, hélas, qu'est-ce que ces taches de sang
Sur les dalles du seuil de ce sépulcre ?
Et pourquoi ces épées abandonnées, sanglantes,
Gisent-elles livides en ce lieu de paix ?

Il entre dans la tombe.

Roméo ! Et si pâle ! Et qui d'autre ? Quoi, c'est Paris,
Et baignant dans son sang ? Ah, quelle heure cruelle
Est coupable de ce désastre ?
Dieu, la jeune dame s'éveille !

Juliette s'éveille.

JULIETTE

Ô frère, mon réconfort ! Dites-moi où est mon seigneur,
Je me souviens très bien du lieu où je devais être
— Et où je suis... Où est mon Roméo ?

Des voix au loin.

FRÈRE LAURENT

J'entends du bruit, madame. Quittons ces lieux
De mort et d'infection, de sommeils qu'honnit la nature.
Un pouvoir contre quoi nous ne pouvons rien
A déjoué nos plans. Venez, viens, viens, ma fille,
Ton mari est là, contre toi, Roméo est mort
Et Paris l'est aussi. Viens, je te trouverai
Une communauté de saintes nonnes.
Ne me questionne pas, car le guet approche.
Viens, viens, chère Juliette. Je n'ose pas rester plus.

JULIETTE

Va, sors d'ici. Je ne partirai pas.

Il sort.

Qu'est ceci ? Une coupe, serrée
Entre les doigts de mon fidèle amour !

C'est le poison, je vois, qui l'a fait mourir
Si prématurément ! Tu as tout bu, avare,
Tu ne m'as pas laissé une goutte amie
Pour m'aider à venir auprès de toi ?
Mais je te baiserai les lèvres. Il se peut bien
Qu'elles soient humectées d'assez de poison encore
Pour que je puisse mourir de ce cordial.

Elle l'embrasse.

Que tes lèvres sont chaudes !

Le page de Paris entre dans le cimetière avec les hommes du guet.

LE GUETTEUR

Conduis-nous, mon garçon.
C'était de quel côté ?

JULIETTE

Du bruit ? Bien, faisons vite. Ô poignard, bienvenu,
Ceci est ton fourreau. *(Elle se poignarde.)* Repose là,
Pour que je puisse mourir.

Elle tombe et meurt sur le corps de Roméo.

LE PAGE

Là, où la torche brûle.

L'HOMME DU GUET

Le sol est tout sanglant. Fouillez le cimetière.
Allez-y à plusieurs, et saisissez-vous
De quiconque vous trouverez.

Plusieurs hommes sortent.

Oh, quel triste spectacle ! Le comte, assassiné,
Et Juliette qui saigne, chaude encore et à peine morte,

Elle qui gît sous terre depuis deux jours !
Va prévenir le prince. Va, toi, chez les Capulet.
Et qu'on réveille les Montaigu. D'autres encore,
Qu'ils continuent les recherches.

D'autres hommes sortent.

Nous voyons le terrain où ces malheurs s'étalent,
Mais le vrai fondement de ces maux affreux,
Nous ne le connaîtrons que par une enquête.

Entre un des hommes du guet, avec Balthazar.

LE DEUXIÈME HOMME DU GUET

C'est le valet de Roméo ; nous l'avons trouvé dans l'église.

LE PREMIER HOMME DU GUET

Qu'on le tienne sous bonne garde jusqu'à l'arrivée du prince.

LE TROISIÈME HOMME DU GUET

Il y a là un moine qui tremble, soupire et pleure.
Nous lui avons pris ce levier, cette bêche
Comme il venait de par là, dans le cimetière.

PREMIER HOMME DU GUET

C'est très suspect. Gardez aussi le moine.

Entrent le prince et sa suite.

LE PRINCE

Quel désastre est-ce là, qui vient de si bonne heure
Nous arracher au repos matinal ?

Entrent Capulet et sa femme.

CAPULET

Qu'est-il donc arrivé, pourquoi ces cris, de partout ?

LADY CAPULET

Oh, les gens dans la rue hurlent « Roméo »,
Et certains crient « Juliette » ou « Paris » et tous courent,
En poussant ces clameurs, vers notre caveau.

LE PRINCE

Pourquoi ces cris de peur dont frémit notre oreille ?

PREMIER HOMME DU GUET

Prince, voici le corps du comte Paris,
Assassiné ; et Roméo, lui aussi mort ; et Juliette, qui était morte,
Tiède, et tuée une seconde fois.

LE PRINCE

Cherchez, fouillez partout, trouvez l'énigme
De ces horribles meurtres.

PREMIER HOMME DU GUET

Voici un moine,
Et voici le valet d'un des morts, Roméo.
Chacun avec des instruments pour ouvrir les tombes.

CAPULET

Ô ciel, ma femme, vois, notre fille saigne.
Ce poignard s'est mépris puisque, vois, son fourreau
Est vide sur le flanc du Montaigu
Alors qu'il s'est logé dans le sein de ma fille.

LADY CAPULET

Malheur à moi !
Ce spectacle de deuil est comme un glas
Qui appelle au tombeau mes vieilles années.

Entre Montaigu.

LE PRINCE

Approche, Montaigu. Tu t'es levé à l'aurore
Pour voir dans son couchant la vie de ton fils.

MONTAIGU

Hélas, mon suzerain, cette nuit est morte ma femme.
La douleur de l'exil de notre fils
A consumé son souffle. Quels autres maux
Conspirent à présent contre ma vieillesse ?

LE PRINCE

Regarde, et tu verras.

MONTAIGU

Ô fils mal éduqué ! Comment peux-tu te permettre
De bousculer ton père au seuil de la tombe ?

LE PRINCE

Bâillonne pour un temps tes imprécations,
Il nous faut dissiper ces tristes mirages,
En trouver l'origine et l'enchaînement,
Et après seulement je me ferai le chef
De votre deuil, et je le conduirai
Jusqu'à la mort, s'il le faut. Contenez-vous,
Asservissez vos maux à votre patience,
Et qu'on fasse avancer ceux que l'on soupçonne.

Les hommes du guet font avancer frère Laurent et Balthazar.

FRÈRE LAURENT

Je suis le principal des deux accusés :
Bien que le moins capable, le plus suspect
(L'heure et le lieu témoignant contre moi)
D'avoir commis ces meurtres épouvantables.

Et me voici,
Prêt tout autant à m'accuser qu'à me défendre,
A me condamner qu'à m'absoudre.

LE PRINCE

Eh bien, dis tout de suite ce que tu sais.

FRÈRE LAURENT

Je serai bref, car mon faible reste de souffle
Ne pourrait pas suffire à un récit prolixe.
Roméo, que vous voyez mort, fut le mari de Juliette.
Et elle, que voici morte, fut l'épouse fidèle de Roméo.
Je les avais mariés. Mais voilà que le jour
De leur secrète union vit le trépas
De Tybalt, dont la mort prématurée
Fit bannir le jeune marié de cette ville.
C'est pour lui et non pour Tybalt que se lamente Juliette.
Vous, pour la détourner de son grand chagrin,
La promettez au comte Paris, et décidez même
De la marier de force. Elle vient à moi
Et, folle de douleur, me demande quelque moyen
Pour échapper à cet autre mariage,
Sinon, dans ma cellule, elle va se donner la mort.
Je lui fournis alors ce que m'enseignait ma science,
Une potion somnifère, qui produisit
L'effet que j'attendais, puisqu'elle passa pour morte.
Cependant j'écrivais à Roméo
De venir ici même, l'horrible nuit,
A l'heure où prendrait fin l'effet de la drogue,
Aider Juliette à fuir sa tombe d'emprunt.
Mais le porteur de ma missive, le frère Jean,
Fut retenu par accident et, hier au soir,
Il m'a rendu ma lettre. Et ainsi, tout seul,
Au moment présumé de son réveil,
Je vins reprendre Juliette au mausolée de ses pères,

Comptant bien la cacher dans ma cellule
Jusqu'à ce que je puisse avertir Roméo.
Je vins, quelques instants avant son réveil,
Mais ce fut pour trouver, fauchés avant l'heure, ici même,
Et le noble Paris et Roméo le fidèle,
Cependant qu'elle s'éveillait... Oh, je la conjurais de partir
Et de prendre en patience ce que le ciel décidait,
Mais alors un bruit m'alarma, je suis sorti de la tombe
Et elle, qu'accablait trop de désespoir
Refusa de me suivre et, vous voyez, se tua.
Je ne sais rien de plus. Sauf que de ce mariage
La nourrice était au courant... En tout cela
Si quelque contretemps arriva par ma faute,
Que ma vie chargée d'ans soit sacrifiée
A la rigueur des lois les plus sévères,
Une heure avant de rencontrer son terme.

LE PRINCE

Je l'ai toujours tenu pour un saint homme.
Mais où est le valet de Roméo ?
Qu'a-t-il à ajouter à ces paroles ?

BALTHAZAR

J'ai porté à mon maître la nouvelle
De la mort de Juliette. Et il vint de Mantoue, en toute hâte,
Ici même, à ce monument. Il me chargea
De remettre à son père, tôt ce matin, cette lettre
Et sous peine de mort, comme il entrait dans la tombe,
Il m'ordonna de partir et le laisser seul.

LE PRINCE

Donne-moi cette lettre, je veux la voir.
Où est le page du comte, qui a alerté le guet ?
Maraud, que faisait-il, ton maître, en cette place ?

LE PAGE

Il était venu répandre des fleurs,
Sur la dépouille de sa dame. Et il m'avait ordonné
De rester à l'écart, ce que j'avais fait.
Mais alors vint quelqu'un, avec une torche,
Ouvrir la tombe ; et bientôt mon maître tirait l'épée
Pendant que je courais prévenir le guet.

LE PRINCE

Cette lettre confirme les paroles du moine.
L'histoire de leur amour ; comment il apprit sa mort.
Comment il acheta, dit-il, un poison
A quelque pauvre apothicaire ; et comment, ainsi préparé,
Il vint à cette tombe pour mourir, étendu auprès de Juliette...
Où sont ces ennemis ? Capulet ? Montaigu ?
Voyez donc quel fléau frappe votre haine :
La justice du ciel a trouvé le moyen
D'anéantir vos joies par l'effet d'un amour.
Et moi, qui ai fermé les yeux sur vos discordes,
Je perds ces deux parents. Nous sommes tous punis.

CAPULET

Ô Montaigu, donne-moi ta main, mon frère.
Que ce soit la dot de ma fille.
Je ne puis te demander plus.

MONTAIGU

Mais moi, je puis te donner davantage
Car je veux lui dresser une statue d'or fin,
Pour que, tant que Vérone sera Vérone,
Il n'y ait pas de femme plus honorée
Que la loyale et fidèle Juliette !

CAPULET

D'une égale splendeur sera Roméo auprès d'elle.
Pauvres réparations de nos inimitiés !

LE PRINCE

C'est une paix bien morne que ce matin nous apporte.
Le soleil, de douleur, ne se montre pas.
Partons, allons parler encore de ces tristes événements.
D'aucuns seront punis, d'autres pardonnés.
Ah, jamais il n'y eut d'histoire plus douloureuse
Que celle de Juliette et de son Roméo !

Ils sortent.

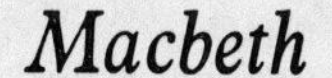

Macbeth

La scène est en Écosse
et (à l'acte IV, scène 3) en Angleterre.

PERSONNAGES

DUNCAN, *roi d'Écosse.*

MALCOLM
DONALBAIN } *ses fils.*

MACBETH, *général d'abord, puis roi d'Écosse.*

BANQUO, *général.*

MACDUFF
LENNOX
ROSS
MENTEITH
ANGUS
CAITHNESS } *nobles écossais.*

FLÉANCE, *fils de Banquo.*

SIWARD, *comte de Northumberland, général des forces anglaises.*

Le jeune SIWARD, *son fils.*

SETON, *écuyer de Macbeth.*

Un jeune garçon, fils de Macduff.
Un capitaine.
Un portier.
Un vieil homme.
Un médecin anglais.
Un médecin écossais.
Trois assassins.

LADY MACBETH

LADY MACDUFF

Une dame noble au service de lady Macbeth.
Les trois sorcières.

HÉCATE, *apparitions.*

Seigneurs, gentilshommes, officiers, soldats, serviteurs et messagers.

ACTE PREMIER

Scène I

Un lieu désert.

« *Tonnerre, éclairs. Entrent trois sorcières.* »

PREMIÈRE SORCIÈRE

Quand est-ce qu'on se retrouve, nous, les Trois ?
Dans l'orage et l'éclair ? Dans la pluie, le froid ?

DEUXIÈME SORCIÈRE

A la fin du tohu-bohu,
Quand tout est gagné, tout perdu ?

TROISIÈME SORCIÈRE

Le soleil pas même sous terre.

PREMIÈRE SORCIÈRE

Dites où ?

DEUXIÈME SORCIÈRE

Sur la bruyère.

TROISIÈME SORCIÈRE

Rendez-vous où Macbeth erre !

PREMIÈRE SORCIÈRE

Graymalkin, me voici, mon chat !

DEUXIÈME SORCIÈRE

Paddock, mon crapaud, me voilà !

TROISIÈME SORCIÈRE

On y va.

TOUTES ENSEMBLE

L'immonde est beau, le beau immonde.
Planons dans le brouillard et dans les miasmes du monde.

Elles se dissipent dans l'air.

Scène II

« *Fanfares. Entrent le roi* DUNCAN, MALCOLM, DONALBAIN, LENNOX, *avec leur suite. Ils rencontrent un capitaine, couvert de sang.* »

DUNCAN

Qui vient là, tout en sang ? Cet homme pourrait bien,
A en juger par son piteux état,
Nous dire le fin mot de la révolte.

MALCOLM

C'est ce capitaine,
Cet excellent, ce valeureux soldat

Auquel je dois d'être libre ! Salut, mon brave ami,
Dis au roi ce que tu savais de la mêlée
Quand tu en es sorti.

LE CAPITAINE

Elle restait incertaine.
Deux nageurs épuisés qui l'un à l'autre s'agrippent,
Paralysant leurs efforts... Macdonald l'implacable,
Bien digne d'être un rebelle, car tous les vices
Qu'invente la nature grouillent sur lui,
A reçu en renfort, des îles de l'Occident,
Des fantassins, des hallebardiers[1]. Et la Fortune
Semblait sourire à sa cause maudite
En vraie putain des rebelles ! Mais vainement,
Car le brave Macbeth (voilà le mot qu'il mérite),
T'a méprisée, Fortune, a brandi son glaive
Fumant déjà du sang de ses massacres
Et, sa valeur l'aidant, s'est taillé passage
Jusqu'en face de cet esclave, et l'a décousu
Sans bonjour ni bonsoir, sans poignée de main,
Du nombril jusqu'à la mâchoire. Quant à sa tête,
Il l'a plantée en haut de nos remparts.

DUNCAN

Vaillant cousin ! Superbe gentilhomme !

LE CAPITAINE

Mais de même que c'est d'où point le soleil
Que l'orage noie les naufrages, à grands bruits noirs,
Voici que cette aurore qui semblait faste
Vient grossir notre alarme. Écoute, roi d'Écosse !
A peine le bon droit, fort de la vaillance,
Avait-il obligé tous ces cloche-pied
A n'en croire que leurs talons, voici que Norvège

Saute sur l'occasion et engage, nouvel assaut,
Ses armes bien fourbies et des troupes fraîches.

DUNCAN

De quoi déconcerter
Un Macbeth, un Banquo, nos capitaines ?

LE CAPITAINE

Oui, à peu près comme le moineau l'aigle,
Ou le lièvre le lion ! Car je témoigne
Que tous deux comme des canons chargés au double
Redoublèrent de coups contre l'ennemi.
Voulaient-ils se baigner dans les plaies fumantes
Ou vous léguer un autre Golgotha[2],
Je ne puis dire…
Mais je faiblis. Mes blessures béantes
Crient au secours !

DUNCAN

Tes mots te font honneur autant que tes plaies.
C'est l'odeur même de la vaillance. Des chirurgiens !

On aide le capitaine à se retirer.

Mais qui vient là ?

MALCOLM

Votre baron, le noble sire de Ross.

LENNOX

Quelle hâte dans son regard ! Rien qu'à le voir
On pressent l'extraordinaire.

ROSS

Que Dieu protège le roi !

DUNCAN

D'où viens-tu, mon noble baron ?

ROSS

De Fife, mon digne roi,
Où les bannières norvégiennes narguaient le ciel,
De leur bise glaçant nos hommes. En personne Norvège,
Avec des troupes sans nombre et l'assistance
De Cawdor, ce plus infâme de tous les traîtres,
Menait l'horrible lutte. Mais vite ce fiancé
De Bellone, drapé dans l'acier, lui oppose
De quoi douter de sa barbe ! Glaive sur glaive,
Bras vertueux pressant le bras rebelle,
Il fait ployer le col à l'insolence... En bref,
La victoire est à nous !

DUNCAN

Quel bonheur tu me donnes !

ROSS

C'en est au point
Que Sweno, le roi de Norvège, implore armistice.
Mais nous lui refusons le droit d'enterrer ses morts
Tant qu'il n'a pas versé dix mille dollars
En l'île de Saint-Colme [3], pour notre usage.

DUNCAN

Jamais plus ce Cawdor n'abusera
Notre amour et notre confiance. Allez crier
Qu'il est un homme mort.
Et saluez Macbeth de son ancien titre.

ROSS

J'y veillerai.

DUNCAN

Ce qu'il perd, c'est le noble Macbeth qui le remporte.

Ils sortent.

Scène III

Une lande.

« *Tonnerre. Entrent les trois sorcières.* »

PREMIÈRE SORCIÈRE

Où as-tu été, ma sœur ?

DEUXIÈME SORCIÈRE

Tuer des porcs.

TROISIÈME SORCIÈRE

Et toi, ma sœur ?

PREMIÈRE SORCIÈRE

Chez une femme de matelot
Qui avait des marrons plein son giron
Et qui mastiquait, mastiquait... « Tu m'en donnes »,
Que je lui dis ! Mais ce gros cul de matrone
Me rétorque : « Au diable, sorcière ! » Son mari
Est maître d'équipage sur le *Tigre* et il est parti
Pour Alep. Mais tout rat sans queue que je sois,
Moi, j'y serai vite, dans mon tamis,
Et je vais lui en faire, en faire, en faire, je te le dis !

DEUXIÈME SORCIÈRE

Que je te donne ce vent.

PREMIÈRE SORCIÈRE

Tu es gentille.

TROISIÈME SORCIÈRE

Et de moi en voici un autre !

PREMIÈRE SORCIÈRE

J'ai le contrôle de tous les autres !
Qui lui souffleront tous les ports
Et le chasseront de tous bords
Qu'on peut trouver sur les cartes.
Oui, je vais vous le retourner
Comme du foin bien séché.
Le sommeil de jour ni de nuit
Ne va fermer ses persiennes.
Il va vivre comme un maudit
Neuf fois neuf saumâtres semaines.
Il jeûnera, pâlira,
Il se recroquevillera...
Sur son rafiot je n'ai prise[4]
Mais qu'il danse au moins dans ma bise...
Regarde ce que j'ai là.

DEUXIÈME SORCIÈRE

Montre, montre !

PREMIÈRE SORCIÈRE

C'est le pouce d'un pilote,
Naufragé, mort, en vue du port.

Tambours.

TROISIÈME SORCIÈRE

Un tambour ! Un tambour !
Macbeth arrive !

Elles dansent une ronde, tournant de plus en plus vite.

TOUTES ENSEMBLE

C'est ainsi, la main dans la main,
Que vont par mers et chemins,
Là, là, là,
Les trois sœurs qui font le destin.
Trois tours pour toi, trois pour moi,
Et trois autres, qui font neuf fois.
Silence ! Le charme opère[5] !

Entrent Macbeth et Banquo.

MACBETH

Pire temps, plus beau jour je n'ai jamais vus.

BANQUO

Sommes-nous loin de Forres ?... Oh, qu'est-ce là ?
Qui sont ces créatures si flétries,
Si insensées en leur accoutrement
Qu'elles ne semblent pas de cette terre
Que pourtant elles foulent... Êtes-vous en vie ?
L'homme a-t-il même droit de poser des questions
A des êtres de votre sorte ? Vous paraissez me comprendre,
Portant vos doigts gercés à vos lèvres sèches.
Vous pourriez être des femmes,
N'étaient ces barbes pour me dissuader de le croire.

MACBETH

Parlez, si vous en êtes capables ! Qui êtes-vous ?

PREMIÈRE SORCIÈRE

Salut, Macbeth ! Salut à toi, sire de Glamis !

DEUXIÈME SORCIÈRE

Salut, Macbeth ! Salut à toi, sire de Cawdor !

TROISIÈME SORCIÈRE

Tous nos saluts, Macbeth, qui seras roi !

BANQUO

Messire, pourquoi tressaillez-vous, et semblez-vous craindre
Ce qui sonne si plaisamment ? Au nom du vrai,
Êtes-vous des visions comme en crée le songe
Ou la réalité de votre apparence ? Mon compagnon,
Vous l'avez salué de son titre de maintenant,
Puis de la prédiction d'une autre noblesse,
Puis d'une espérance royale ; et il en est tout bouleversé,
Mais à moi vous n'avez rien dit. Si vous pouvez
Scruter ainsi les semences du temps,
Et dire quel grain va croître et quel autre non,
Parlez-moi donc, à moi qui ne mendie
Nullement vos faveurs ni ne redoute vos haines.

PREMIÈRE SORCIÈRE

Salut !

DEUXIÈME SORCIÈRE

Salut !

TROISIÈME SORCIÈRE

Salut !

PREMIÈRE SORCIÈRE

Moindre que Macbeth, mais plus grand !

DEUXIÈME SORCIÈRE

Moins fortuné que lui, mais tellement plus !

TROISIÈME SORCIÈRE

Qui procréeras des rois, toi qui ne l'es pas !

PREMIÈRE SORCIÈRE

Banquo et Macbeth, salut, salut !

Le brouillard s'épaissit.

MACBETH

Restez, bouches obscures, dites-m'en plus !
Puisque mon père Sinel est mort je suis Glamis, je le sais,
Mais Cawdor ? Le baron de Cawdor est vivant,
C'est un gentilhomme prospère. Et être roi,
Je ne puis en rêver de façon moins vaine
Que me croire Cawdor. Dites, d'où tenez-vous
Cette étrange prescience ? Dites pourquoi
Vous nous avez arrêtés de ces saluts prophétiques
Sur cette lande lugubre ? Parlez, je vous l'ordonne !

Les sorcières disparaissent.

BANQUO

La terre a donc des bulles, comme l'eau ?
Celles-ci en étaient... Où sont-elles passées ?

MACBETH

Dans l'air. Ce qui semblait de chair et de sang
S'est dissipé dans le vent comme un souffle.
Que ne sont-elles restées !

BANQUO

Y eut-il même ici ce dont nous parlons ?
Ou avons-nous mangé de cette rave des fous
Qui tient la raison captive ?

MACBETH

Vos enfants seront rois.

BANQUO

Vous serez roi vous-même.

MACBETH

Et sire de Cawdor ? N'étaient-ce pas leurs mots ?

BANQUO

Leurs mots et leur musique. Mais qui vient là ?

Entrent Ross et Angus.

ROSS

Macbeth ! Le roi a accueilli avec grande joie
La nouvelle de ta victoire, et quand il sut
Comment tu as payé de ta personne
Dans le combat contre les rebelles, sa surprise
Rivalisait avec ses mots d'éloge...
Mais apprenant le reste de la journée
Et te voyant au fort des Norvégiens
Sans crainte de la mort que tu répandais
En images épouvantables, il en fut réduit
A la stupeur silencieuse... Drus comme grêle
Tombaient messages après messages, qui chacun
Célébrait ta superbe défense de son royaume
Et versait à ses pieds cette louange.

ANGUS

C'est lui qui nous envoie !
Nous te portons les remerciements du roi notre maître
Et t'escorterons jusqu'à lui,
Car ce n'était pas là te payer encore.

ROSS

Sauf qu'en avance sur ces honneurs
Il m'a chargé de saluer en toi

Le sire de Cawdor. Salut donc, très noble baron,
Puisque le roi veut que ce soit ton titre.

BANQUO

Quoi ! Le démon peut-il dire vrai ?

MACBETH

Mais il vit, le baron de Cawdor ! Pourquoi me pares-tu
De cette robe d'emprunt ?

ANGUS

Il vit encore, celui qui fut ce baron,
Mais sous le poids d'une lourde sentence
Et il mérite la mort. S'il s'est ligué
Avec ceux de Norvège, ou s'il a aidé
Secrètement les rebelles, ou s'il travailla
Avec tous à la fois contre son pays,
Je ne puis dire au juste ; mais capitale
Est sa trahison ; et prouvée, confessée,
Elle cause sa chute.

MACBETH, *à part.*

Glamis ; puis baron de Cawdor !
Le meilleur me reste à venir. *(Haut.)* Merci pour votre peine...
(A part, à Banquo.) N'allez-vous pas espérer que vos enfants seront rois ?
Celles qui m'ont salué du nom de Cawdor
Ne leur ont promis rien de moins.

BANQUO

Plus que le titre de Cawdor c'est la couronne
Qui risque de vous enflammer, si vous prenez
Trop au sérieux ces choses !... Oui, c'est étrange.

Mais bien des fois les forces des ténèbres
Pour nous gagner à notre propre perte
Disent le vrai d'abord, savent nous séduire
Avec des bribes de franchise : et c'est nous trahir
De façon d'autant plus profonde.
Mes cousins, un mot, je vous prie.

MACBETH, *à part.*

Déjà deux vérités dans ce qu'on m'a dit !
C'est un prélude heureux pour l'orchestration
De mon thème royal. *(Haut.)* Je vous remercie, messeigneurs.
(A part.) Cette visite surnaturelle
Ne peut venir du diable... Ah ! ni du ciel !
Du diable ! Mais comment m'expliquer alors
Cet acompte sur le succès : un commencement
Qui se révèle vrai. Car je suis Cawdor !
Du ciel ! Mais pourquoi puis-je, dans ce cas,
Me laisser envahir par cette hantise
Dont l'insinuation abominable
Fait se dresser mes cheveux, et cogner
Mon cœur pourtant solide contre mes côtes
Comme jamais encore[6]... Certes la peur vécue
Est moindre que l'horreur que l'on imagine
Car ces pensées, qui ne font pour l'instant que rêver le meurtre,
Secouent déjà si fort l'unité de mon être
Que ma raison en étouffe, rien qu'à en former les images,
Et que rien n'est, pour elle, sinon cela, qui n'est pas.

BANQUO

Voyez ! Notre compagnon est comme en extase.

MACBETH, *à part.*

Peut-être, si le sort veut me faire roi,
Me couronnera-t-il sans que j'aie à faire ?

BANQUO

Il ne se fera qu'à l'usage
A ces honneurs qui soudain lui échoient
Comme un vêtement neuf, et qui gêne encore.

MACBETH, *à part.*

Advienne que pourra !
On peut survivre aux heures les plus sombres.

BANQUO

Digne Macbeth, nous attendons votre bon plaisir.

MACBETH

Je vous demande pardon ! Mon pauvre cerveau
Était la proie de pensées — que j'oublie.
Mais vos peines, mes bons et nobles amis,
S'inscrivent sur le livre que chaque jour je feuillette.
Allons trouver le roi ! *(A Banquo.)* Vous réfléchirez
A ce qui s'est passé. Quand nous aurons le temps
Et aussi le recul qui soupèse tout,
Il faudra qu'on se parle, à cœur ouvert.

BANQUO

Bien volontiers !

MACBETH

Mais d'ici là, silence ! Allons, mes amis.

Ils sortent.

Scène IV

Forres[7]. *Une salle dans le palais.*

« *Sonneries. Entrent* DUNCAN, MALCOLM, DONALBAIN, LENNOX *et leur suite.* »

DUNCAN

A-t-on exécuté Cawdor ? Sont-ils de retour,
Ceux qui en avaient charge ?

MALCOLM

Non, monseigneur,
Ils ne sont pas rentrés. Mais j'ai parlé
A quelqu'un qui l'a vu périr. Il m'a rapporté
Qu'il fut franc dans l'aveu de ses trahisons,
Qu'il implora le pardon de Votre Grandeur, — et qu'il témoigna
D'un profond repentir. Rien, dans sa vie,
Ne lui alla comme de la perdre. Il mourut
Comme quelqu'un qui s'est exercé à mourir[8],
Prêt à jeter ce qu'il a de plus cher
Comme on ferait des plus vaines broutilles !

DUNCAN

Aucun art ne permet, décidément,
De juger de l'esprit à la figure.
Ce gentilhomme-là, je lui aurais fait
La confiance la plus entière.

Entrent Macbeth, Banquo, Ross et Angus.

Ô le plus valeureux de mes cousins !
Le sentiment de mon ingratitude m'accablait
Jusqu'à cette seconde. Tu es si loin en avant de nous
Que l'aile de la récompense la plus rapide
Est trop lente pour te rejoindre. Si tes mérites
N'étaient pas aussi grands, mon merci, ma rétribution
Pourraient les égaler. Mais que puis-je, sinon te dire
Que je te dois davantage que tout ce qu'on peut offrir ?

MACBETH

Le service que je vous dois, loyal sujet que je suis,
Est à lui-même sa récompense. Votre Grandeur
A un droit naturel à notre zèle
Qui est l'enfant et le serviteur de son trône.
Quoi qu'on fasse pour vous et pour votre gloire,
Ce n'est là que ce qu'on doit faire.

DUNCAN

Bienvenu sois-tu, près de moi !
J'ai commencé à te planter, bien en terre,
Et je vais travailler à te faire croître ! Noble Banquo,
Qui n'as pas moins mérité, ce qui ne doit pas moins être su,
Viens que je t'embrasse, viens là,
Que je te tienne serré contre mon cœur !

BANQUO

Puissé-je y prospérer,
La récolte serait à vous !

DUNCAN

Mes joies débordantes, mes joies folles de tant avoir
Cherchent à se cacher, vous le voyez,
Sous les larmes de la douleur... Mes fils, mes cousins,
Et vous, barons, et vous tous encore, mes autres proches,

Sachez que nous désignons, pour nous succéder,
Malcolm, notre fils aîné, que nous nommerons désormais
Prince de Cumberland. Mais ceci n'est pas dire
Qu'il n'y aura d'honneur que pour lui seul,
Car les titres, comme des astres, vont briller
Sur tous ceux qui les méritèrent... Allons à Inverness,
Macbeth, pour être votre obligé davantage encore.

MACBETH

Le repos est fatigue, s'il n'est pas employé pour vous.
Je veux me faire votre fourrier, pour réjouir
L'oreille de ma femme de votre approche.
Aussi, permettez-moi de prendre congé, humblement.

DUNCAN

Noble, noble Cawdor !

MACBETH, *à part.*

Le prince de Cumberland ! C'est là une marche
Où je trébucherai si je ne la saute,
Car elle barre ma route. Astres, voilez vos yeux !
Que la lumière ne puisse voir mes désirs, qui sont ténébreux,
Et que l'œil se détourne de la main ! Que celle-ci ait pouvoir
D'accomplir librement ce que l'œil craindrait trop de voir.

Il sort.

DUNCAN

C'est vrai, noble Banquo : il est la vaillance même,
Et je ne puis assez me repaître de son éloge.
C'est un festin pour moi. Suivons-le donc,
Ce cousin sans égal, dont la prévenance
S'élance devant nous pour nous accueillir.

« *Fanfares.* » *Ils sortent.*

Scène V

Inverness[9]*. Devant le château de Macbeth.*

« *Entre la femme de Macbeth, seule, tenant une lettre.* »

LADY MACBETH, *lisant.*

« Elles sont venues à ma rencontre le jour même de la victoire. Et j'ai appris des sources les plus sûres qu'elles en savent plus que le commun des mortels. Je brûlais du désir de les interroger davantage, mais elles se sont transformées en fumée de l'air jusqu'à complète dissipation. Après quoi, comme je restais ébahi de cette merveille, voici qu'arrivèrent des messagers du roi, qui m'ont salué du titre de Cawdor, celui même dont avaient usé pour moi, l'instant d'avant, ces sœurs fatales, lesquelles m'avaient fait me tourner vers l'avenir avec leur « Salut, roi que tu vas être ! » Ce sont ces faits qu'il m'a paru bon de te rapporter, ma chère moitié dans la grandeur, afin que par ignorance de cette grandeur qui t'est promise, tu ne sois pas privée de la joie que tu mérites. Enclos ceci dans ton cœur et — au revoir. »
Glamis tu es, et Cawdor ; et tu vas être
Ce qui te fut promis. Pourtant, je crains ta nature
Qui a trop bu du lait de l'humaine tendresse
Pour couper au plus court. Tu voudrais la grandeur,
Ce n'est pas l'ambition qui te manque, mais l'âpreté
Sans scrupule qui doit la suivre ; tu as l'avidité
Mais tu rêves l'honnêteté ; tu voudrais l'illicite
Mais sans avoir triché ; tu voudrais, grand Glamis,

Ce qui te crie : « Tu m'as, si tu fais ceci »,
Mais ceci, tu as peur, non de le voir fait,
Mais d'avoir à le faire... Ah, rejoins-moi,
Que je puisse verser dans ton oreille
Ma détermination, et que je fustige
Des mots de la valeur et du caractère
Ce qui en toi s'effraie de ce cercle d'or
Dont le destin, non sans une aide surnaturelle,
Semble bien décidé à te couronner.

Entre un messager.

Que venez-vous m'apprendre ?

LE MESSAGER

Le roi vient ici ce soir.

LADY MACBETH

Tu perds la tête, non ? Ton maître
N'est-il pas avec lui ? Si c'était vrai,
Il nous l'aurait mandé pour qu'on se prépare.

LE MESSAGER

Ne vous en déplaise, c'est vrai ! Notre sire arrive.
Un de mes camarades l'a devancé,
Qui, presque mort de trop d'essoufflement,
A pu à peine expirer son message.

LADY MACBETH

Occupez-vous de lui,
Il apporte grande nouvelle !... C'est le corbeau
De sa voix la plus rauque
Qui devrait croasser l'arrivée fatale
De Duncan sous mes tours. Esprits, mobilisez-vous,
Qui présidez aux pensées de meurtre ! Sur-le-champ,
Défaites-moi de mon sexe, bondez-moi

A ras bord, de l'orteil au sommet du crâne,
De la cruauté la plus noire ! Épaississez mon sang !
Barrez à la pitié toute voie d'accès à mon cœur,
Afin qu'aucun scrupule, et rien de la nature,
N'ébranle mon dessein féroce ou ne s'interpose
Entre lui et sa conséquence ! Mes seins de femme,
Parcheminez leur lait, faites-en du fiel,
Ô ministres du meurtre, où que vous soyez, invisibles,
A vaquer aux vices du monde. Et toi, épaisse nuit,
Accours, enveloppée des plus âcres fumées d'enfer,
Pour que ma lame perçante ne puisse voir
La blessure qu'elle ouvre ; ni que le ciel
Ne vienne m'épier par les déchirures de la ténèbre
Pour me crier : « Halte ! Halte ! »

Entre Macbeth.

Grand Glamis ! Valeureux Cawdor !
Et plus grand que Glamis et que Cawdor
Par la vertu du salut qui fit suite !
Au-delà du présent qui est aveugle
Ta lettre m'a transportée,
Et je perçois l'avenir, en cette seconde.

MACBETH

Ma bien-aimée,
Duncan va être ici, ce soir.

LADY MACBETH

Et quand part-il ?

MACBETH

Demain, à ce qu'il veut.

LADY MACBETH

Ah, jamais
Le soleil ne verra ce demain-là !

Votre visage, mon prince, mais c'est un livre,
Où l'on peut lire d'étranges choses... Pour abuser
Les autres, faites donc ce qu'ils font eux-mêmes,
Ayez la bienvenue aux yeux, dans la main offerte, à la bouche,
Prenez l'aspect de la fleur innocente,
Mais soyez le serpent qu'elle dissimule ! Celui qui vient,
Il faut s'en occuper : c'est mon affaire,
Laissez-moi la grande besogne de cette nuit,
Afin que tous nos jours, toutes nos nuits futures
Nous voient régner sans limitation ni partage.

MACBETH

Nous en reparlerons...

LADY MACBETH

Prenez un air joyeux
Car une figure soucieuse, cela inquiète,
Et laissez-moi le soin de tout le reste.

Ils entrent dans le château.

Scène VI

« *Hautbois. Entrent le roi* DUNCAN, MALCOLM, DONALBAIN, BANQUO, LENNOX, MACDUFF, ROSS, ANGUS *et leur suite.* »

DUNCAN

Le site de ce château est agréable.
L'air y est doux, il flatte nos sens
De sa brise légère.

BANQUO

Le martinet,
Ce visiteur des voûtes de l'été,
Aime à bâtir ici, ce qui montre bien
Que l'haleine du ciel y est suave : pas de saillie,
De rebord, de recoin propice dont cet oiseau
N'ait fait son ciel de lit, et le berceau
De sa progéniture. Là où il a choisi
De tournoyer, de se multiplier,
J'ai remarqué que l'air est la douceur même.

Entre lady Macbeth.

DUNCAN

Et voyez qui vient là ! Notre digne hôtesse !
L'affection qui nous poursuit trop peut être une gêne,
Mais peu importe, merci, c'est de l'affection.
Voilà pourquoi vous prierez Dieu, madame,
De nous récompenser pour la peine qu'on vous inflige,
Et même nous remercierez de vous causer tant d'ennuis.

LADY MACBETH

Sire, tous nos devoirs,
Seraient-ils accomplis au double, au quadruple,
Ne vaudraient que bien peu, vraiment bien peu
En regard des honneurs dont Votre Altesse
Comble notre maison. Vos faveurs plus anciennes
Et les titres récents qui par-dessus s'accumulent,
Nous feront à jamais en reste de prières.

DUNCAN

Où est le baron de Cawdor ?
Nous étions à ses trousses, nous voulions
Le devancer, lui préparer l'accueil. Mais il est bon cavalier,
Et son amour pour vous, quel dur éperon !

L'a porté chez lui avant nous. Belle et noble hôtesse,
Nous serons donc vos invités, ce soir.

LADY MACBETH

Et nous vos serviteurs, qui inscrivons
Leur maisonnée, leur personne, leurs biens,
Au compte du bon plaisir de Votre Altesse,
Ne songeant qu'à vous rendre ce qui est vôtre.

DUNCAN

Donnez-moi votre main !
Menez-moi auprès de mon hôte. Nous l'aimons fort
Et nous lui garderons notre faveur.
A votre gré, madame...

Ils entrent dans le château.

Scène VII

Une cour au château de Macbeth.

« *Hautbois et torches. Entre un maître d'hôtel réglant divers domestiques qui passent avec des plats et de la vaisselle. Alors paraît* MACBETH *par la même porte.* »

MACBETH

Si c'était la fin, quand c'est fait, bien, il n'y aurait
Qu'à faire vite ! Si l'assassinat
Pouvait prendre au filet ses conséquences
Et piéger le succès avec la victime,
Si un seul coup pouvait tout trancher, tout clore

Ici, au moins ici, en ce gué de la vie mortelle [10],
Alors nous risquerions notre vie future !
Mais, las, il nous faut craindre
Aussi le juge terrestre ; et qu'enseigner
Le sang soit la leçon qui, vite apprise,
Retombe sur le maître. La Justice
A des mains impartiales, et à nos lèvres
Elle vient tôt vanter le même poison
Que proposait notre coupe... Le roi
Est en ce lieu sous double sauvegarde.
D'abord, je suis son parent, son sujet,
Deux puissantes raisons ; puis, en tant qu'hôte,
J'ai à combattre l'assassin, s'il s'en présente,
Et non tenir le couteau ! En outre, ce Duncan
A usé si modérément de son pouvoir,
Il s'est montré si probe en son grand service,
Que ses vertus trompetteraient comme des anges
Contre le grand péché que serait son meurtre.
Nue comme un nouveau-né, la compassion
Enfourcherait cet orage ; les chérubins
Chevaucheraient, sur les routes du ciel,
Les coursiers invisibles de l'atmosphère
Pour frapper tous les yeux de ce forfait
Jusqu'à ce que les pleurs abattent les vents !
D'éperon je n'ai donc, au flanc du crime,
Que l'ambition, qui veut bondir en selle,
Mais saute alors trop haut, et de l'autre côté retombe...

Entre lady Macbeth.

Où en sommes-nous ? Les nouvelles ?

LADY MACBETH

Le dîner est presque fini
Mais pourquoi avez-vous quitté la salle ?

MACBETH

S'est-il enquis de moi ?

LADY MACBETH

Ne le savez-vous pas ?

MACBETH

Nous en resterons là dans cette affaire.
Il vient de me combler d'honneur. Et j'ai acquis
De toute part une réputation
Que je me dois de porter dans tout son éclat de neuf
Et non pas dépouiller si vite.

LADY MACBETH

Était-elle ivre,
L'espérance, votre manteau d'avant ? Puis a-t-elle dormi,
Qu'elle regarde aussi abrutie, au réveil malade,
Ses audaces du soir ? Dorénavant
C'est ainsi que je juge de ton amour ! As-tu donc peur
D'être le même, en action, en courage,
Que tu es en désir ? Peux-tu, au même instant,
Vouloir ce que tu tiens pour l'or de la vie
Et vivre comme un lâche, qui se sait tel,
Laissant « Je n'ose pas » suivre « Je voudrais bien »
Comme le minable chat du proverbe !

MACBETH

Paix, je te prie !
Je sais oser ce qui sied à un homme.
Qui ose davantage, il n'en est plus un.

LADY MACBETH

En ce cas, quelle bête fauve
Étiez-vous, quand vous me confiâtes votre projet !
Quand vous osiez cela, ah, c'est alors que vous étiez homme,

Et vous le seriez d'autant plus
Si vous étiez plus encore cet être-là !
Ni le moment, ni le lieu [11]
N'étaient favorables, alors : vous vouliez les forcer à l'être.
Ils le sont devenus ; et cette chance
Vous laisse sans ressort. J'ai donné le sein, et je sais
Comme il est doux d'aimer le petit être qui tète,
Mais j'aurais arraché mon téton à ses gencives sans force,
Et, fût-il même en train de me sourire,
J'aurais fait jaillir sa cervelle
Si je m'étais engagée par le même serment que vous !

MACBETH

Mais si nous échouons ?

LADY MACBETH

Échouer, nous ?
Contentez-vous de bander votre courage
Jusqu'à le rompre, et nous n'échouerons pas.
Lorsque Duncan va être endormi
Comme son dur voyage de la journée l'y incite,
J'accablerai si bien ses deux chambellans
De vin et de ripaille, que leur mémoire,
Cette gardienne du cerveau, ne sera plus que fumée,
Ce qui fera du siège de leur raison
Un alambic, rien d'autre. Eux donc noyés
Comme des morts dans ce sommeil de porcs,
Que ne pourrons-nous faire, vous et moi,
Contre Duncan sans défense ? Que ne pourrons-nous mettre
Au compte de ses gardes gorgés de vin
Qui porteront la faute de notre grande tuerie ?

MACBETH

N'enfante que des fils,
Car ton métal sauvage ne saurait forger que des mâles !

Quand nous aurons barbouillé de sang les dormeurs
Qui sont là, en effet, dans sa chambre même...
Et si nous employons leurs propres poignards,
Va-t-on pouvoir douter qu'ils soient les coupables ?

LADY MACBETH

Qui en pourra douter
Quand nous-mêmes crierons notre douleur
Autour de son cadavre ?

MACBETH

Me voici résolu ! Et je rassemble
Toutes mes énergies pour ce terrible exploit.
Allons, dupons-les tous de notre air affable !
Trompeur
Doit être le visage quand l'est le cœur.

Ils sortent.

ACTE II

Scène I

Le même lieu, une ou deux heures plus tard.

Entrent BANQUO *et* FLÉANCE *portant devant lui une torche.*

BANQUO

Où en est la nuit, mon garçon ?

FLÉANCE

La lune est couchée. Mais je n'ai rien entendu sonner.

BANQUO

Elle se couche à minuit.

FLÉANCE

Je gage qu'il est plus tard, monsieur.

BANQUO

Prends mon épée... Ils font des économies, au ciel,
Toutes leurs bougies sont éteintes. Prends ça aussi.

Il défait sa ceinture.

J'ai du plomb sur les yeux, c'est mon idée fixe,
Mais je voudrais ne pas dormir. Puissances de la Grâce,
Délivrez-moi des fantasmes sinistres
Qui hantent la nature, dans son repos. *(Il tressaille.)*
Mon épée, rends-moi mon épée. Qui vient là ?

Entrent Macbeth et un serviteur portant une torche.

MACBETH

Un ami.

BANQUO

Allons, monsieur,
Vous ne dormez donc pas encore ? Le roi s'est couché, lui,
Heureux comme rarement il le fut,
D'où de grandes largesses à tous vos gens
Et ce diamant qu'il offre à votre femme
Qu'il nomme la plus affable des hôtesses.
Quand il s'est retiré,
Il était satisfait au-delà de toute mesure.

MACBETH

Nous n'étions pas préparés,
Et notre bon vouloir a dû gérer le manque
Au lieu de faire à son gré.

BANQUO

Tout était bien...
La nuit dernière, j'ai rêvé de ces trois sœurs,
Les Fatales. Pour vous au moins
Il y avait du vrai dans ce qu'elles dirent

MACBETH

Je n'y pense pas.
Mais quand nous trouverons une minute

Nous l'emploierons à en parler un peu,
Si vous le voulez bien.

BANQUO

A votre convenance !

MACBETH

Et si alors vous partagez mes vues,
Vous y gagnerez en honneurs.

BANQUO

Que seulement je n'en perde pas, en en voulant davantage,
Mais garde l'âme claire et franc mon vœu d'allégeance,
Et je suivrai vos conseils.

MACBETH

En attendant, reposez-vous bien.

BANQUO

Merci, messire. Et de même pour vous !

Sortent Banquo et Fléance.

MACBETH

Va dire à ta maîtresse qu'elle sonne
Quand ma boisson sera prête. Et va au lit.

Sort le serviteur.

N'est-ce pas une dague que je vois là devant moi,
Le manche à portée de main ? Viens, que je t'empoigne...
Je n'ai pu te saisir et pourtant je te vois encore !
Ah, fatale vision, n'es-tu donc pas
Pour le toucher autant que pour la vue ?
Dois-je te dire un poignard de l'esprit,
Le rêve d'un cerveau que la fièvre mine ?

Je te vois, cependant ! D'apparence aussi dure
Que cette lame-ci, que je dégaine...
Tu m'entraînes sur le chemin que je suivais,
Tu es semblable au fer que j'allais brandir !
Sont-ce mes yeux qui leurrent mes autres sens,
Ou auraient-ils raison contre eux tous ? Je te vois
Encore ! Et sur ta lame et sur ta poignée
Goutte du sang qui n'était pas là tout à l'heure !
Non, cela ne peut être !
Ce n'est que mon projet sanglant qui se dessine
Ainsi, devant mes yeux ! En cette minute
Sur la moitié du monde, la nature
Semble morte, et des songes pervers abusent
Le sommeil, sous ses voiles. La sorcière
Observe les rituels de la pâle Hécate.
Le meurtre, exsangue,
Alerté par sa sentinelle, le loup
Dont le hurlement lui dit l'heure, à pas feutrés
Comme Tarquin à son projet de viol,
Avance tel un spectre vers sa proie...
Ô terre, qui es ferme et bien établie,
Reste sourde à mes pas, où qu'ils se portent,
Car je crains que tes pierres mêmes ne crient sinon mon dessein,
Ce qui déroberait à l'heure présente
Ce silence, qui est horrible, mais me convient.
Mais je menace, je menace, et lui il vit.
Parler souffle sur l'acte et le refroidit.

La cloche sonne.

Les jeux sont faits, j'y vais. La cloche m'appelle.
Ne l'entends pas, Duncan, car c'est le glas,
Qui te réclame au ciel, ou beaucoup plus bas.

Il sort. Un temps.

Scène II

Les mêmes lieux.

Entre LADY MACBETH.

LADY MACBETH

Ce qui les a saoulés m'a affermie.
Ce qui les a éteints m'a enflammée. Ah, chut !
Non, ce n'est que la chouette qui a crié,
Cette sentinelle fatale [12], dont le bonsoir
Est tellement lugubre... Macbeth s'active.
Les portes sont ouvertes, les ronflements
Des gardes gorgés de vin ridiculisent
La charge qui leur incombe. J'ai si bien épicé leur grog
Que la nature en eux et la mort débattent
S'ils sont en vie encore.

MACBETH, *du dedans.*

Qui va là ? — Ah !

LADY MACBETH

Dieux ! Que j'ai peur qu'ils ne se réveillent
Avant que tout ne soit fait. C'est ce commencement
Qui peut nous perdre et non la chose même.
Écoutons... J'ai laissé leurs dagues prêtes,
Il n'a pas pu ne pas les trouver... Si Duncan
N'avait pas ressemblé à mon père, dans son sommeil,
C'est moi qui l'aurais frappé !

Entre Macbeth.

Mon époux !

MACBETH

C'est fait. N'as-tu rien entendu ?

LADY MACBETH

Le cri de la chouette, et les grillons...
Mais vous avez parlé ?

MACBETH

Moi ? Quand ?

LADY MACBETH

Il y a un instant.

MACBETH

Comme je descendais ?

LADY MACBETH

Oui.

MACBETH

Écoute !

Ils écoutent.

Sais-tu qui dort dans la seconde chambre ?

LADY MACBETH

Donalbain.

MACBETH, *regardant ses mains.*

C'est horrible.

LADY MACBETH

Penser que c'est horrible, c'est stupide !

MACBETH

L'un a ri dans son rêve; l'autre a crié « Au meurtre ! »
Ils se sont réveillés... Moi, j'étais là, j'écoutais,
Mais ils ont dit leurs prières et, à nouveau,
Se sont confiés au sommeil.

LADY MACBETH

Oui, ils sont deux dans la chambre [13].

MACBETH

L'un a crié : « Que Dieu vous bénisse ! » « Amen », a répondu l'autre,
Comme s'ils m'avaient vu avec ces mains de bourreau !
Et moi qui entendais leur frayeur, je n'ai pu leur répondre « Amen ! »
Quand ils ont dit : « Que Dieu nous bénisse ! »

LADY MACBETH

Ne prenez pas cela tellement à cœur !

MACBETH

Mais pourquoi n'ai-je pu prononcer : « Amen ! »
J'avais si grand besoin de bénédiction,
Et cependant « Amen » m'est resté dans la gorge.

LADY MACBETH

Il ne faut pas penser de cette façon
A cette sorte de choses. Cela rend fou.

MACBETH

Il m'a semblé
Que j'entendais crier une voix : « Ne dors plus !
Macbeth tue le sommeil ! » — L'innocent sommeil,
Le sommeil qui débrouille les fils noués du souci,

Qui fait mourir la vie de chaque journée
Mais baigne le dur labeur, et se fait le baume
Des blessures de l'âme ! De la grande Nature
C'est la seconde provende. Au festin de la vie,
C'est le mets qui nourrit le mieux.

LADY MACBETH

Où voulez-vous en venir ?

MACBETH

Et ça criait sans cesse, à tous les échos,
« Ne dors plus ! Glamis a tué le sommeil,
Et c'est pourquoi Cawdor ne dormira plus.
Macbeth ne dormira plus ! »

LADY MACBETH

Qui pouvait bien crier cela ? Mon valeureux seigneur,
C'est débander vos nobles énergies
Que nourrir ces pensées morbides ! Prenez de l'eau
Et lavez votre main de ces sales traces...
Mais pourquoi avez-vous rapporté les dagues ?
Elles doivent rester là-bas. Allez les remettre
Et barbouiller de sang les gardes qui dorment.

MACBETH

Je n'irai plus.
J'ai peur à la pensée de ce que j'ai fait.
Je n'ose pas le revoir.

LADY MACBETH

Ah, volonté malade !
Donne-moi ces poignards ! Les dormeurs et les morts
Ne sont que des images. C'est l'enfance
Qui s'épouvante des diables en peinture.

S'il saigne encore,
Je vais rougir de sang la figure des gardes,
Car il faut qu'ils aient l'air d'être les coupables.

Elle sort. Au dehors, on frappe.

MACBETH

On a frappé ? Où est-ce ?
Et qu'ai-je donc à m'effrayer du moindre bruit ?
Ces mains ? Ah, elles m'arrachent les yeux !
Tout l'océan du grand Neptune pourra-t-il
Les laver de ce sang ? Non, c'est elles plutôt
Qui, empourprant les innombrables mers,
Feront avec l'eau verte du rouge, rien que du rouge !

Rentre lady Macbeth.

LADY MACBETH

Mes mains ont la couleur des vôtres ; mais j'aurais honte
D'avoir un cœur aussi pâle. *(On frappe.)* J'entends qu'on frappe
A la porte du Sud. Retirons-nous
Dans notre chambre. Un petit peu d'eau claire
Et nous voici lavés. Puis, tout sera facile.
Votre sang-froid vous a donc lâché ? Ah !
Vous avez entendu ? On frappe encore ! Mettez votre robe de chambre,
De peur qu'un imprévu ne nous surprenne,
Montrant que nous ne dormons pas...
Allons, arrachez-vous à ces rêveries pitoyables !

MACBETH

Pour comprendre ce que j'ai fait ? Plutôt ne plus me savoir !

On frappe.

Toi qui frappes à la porte, éveille Duncan !
Que je voudrais que ce soit encore possible !

Scène III

Les mêmes lieux.

Entre un portier.

LE PORTIER

Ça, c'est frapper ! Ah, si un homme était portier de l'enfer, il en aurait de la clef à faire tourner. *(On frappe.)* Pan, pan, pan ! Par Belzébuth, qui est là ? Je te parie que c'est ce fermier qui s'est pendu par espoir que ça allait lui pousser tout dru. Alors, ça vient, mon ami ? Tu as saisi l'occasion ? Et tu as assez de mouchoirs tout autour de toi pour la suée qui t'attend ? Pan, pan ! Qui vient là, par le nom de l'autre diable ? Et si c'était cette espèce de jésuite qui vous engageait sa parole dans les deux sens ? Il a pas mal trahi pour la gloire de Dieu, celui-là, mais il n'a pas pu finasser avec le ciel, tout de même. Entrez donc, emberlificoteur [14] que vous êtes ! *(On frappe.)* Pan ! pan ! pan ! Qui est là ? Ma parole, c'est un tailleur anglais qui arrive, parce qu'il en avait trop piqué, du surplus de ces chausses à la française [15]. Entrez donc, tailleur mon ami. Ici, on peut faire rôtir sa petite oie. *(On frappe.)* Pan ! pan ! Jamais tranquille ! Qui est-ce que ça peut être ? Mais ce coin-ci est bien trop froid, comme enfer. Je ne serai pas le portier du diable une minute de plus. Moi qui pensais en faire entrer un de chaque métier, sur son chemin de délices vers le feu de joie éternel ! *(On frappe.)*... On y va, on y va ! S'il vous plaît, n'oubliez pas le portier !

Il ouvre la porte.
Entrent Macduff et Lennox.

MACDUFF

Était-il si tard, mon ami, quand tu t'es couché,
Qu'il faille ainsi te tirer du lit ?

LE PORTIER

Ma parole, monsieur, nous avons fait bombance jusqu'au second chant du coq ; et boire, monsieur, cela vous incite à trois choses.

MACDUFF

Qu'est-ce que ces trois choses à quoi boire... incite, spécialement ?

LE PORTIER

Parbleu, la peinture, monsieur, celle du nez, et le sommeil et l'urine. La paillardise, monsieur, cela y incite aussi, mais c'est tout autant ce qui désexcite. Ça vous incite au désir, mais ça vous empêche d'en faire plus. Et c'est pourquoi on peut dire que boire trop emberlifricote la paillardise. Ça la fait et ça la défait. Ça la met en selle et la met en fuite. Ça lui donne des idées, mais pas de cœur à l'ouvrage ; ça vous la met debout et ça la débande. Et quand il faudrait une conclusion, ça vous l'emberlifricote dans le sommeil, et lui rabat son caquet [16], et fait un songe de son mensonge.

MACDUFF

J'imagine que tout ce boire de cette nuit te l'a rabattu, ton caquet.

LE PORTIER

Çà oui, monsieur, il me l'a rentré dans la gorge. Mais rabattu, c'est le vin qui l'a été, pour finir, car il n'était pas assez fort pour moi, et bien qu'il m'ait travaillé tout un long moment vers le haut des jambes j'ai trouvé le moyen de le projeter sur le sol.

MACDUFF

Est-ce que ton maître va se montrer ?

Entre Macbeth, dans sa robe de chambre.

Nos coups à la porte l'ont réveillé, le voici.

LENNOX

Bonjour, noble seigneur !

MACBETH

Bonjour à vous, mes amis !

MACDUFF

Est-ce que le roi s'est montré, Macbeth ?

MACBETH

Non, pas encore.

MACDUFF

Il m'avait ordonné de venir le voir de bonne heure.
Je suis presque en retard.

MACBETH

Je vais vous introduire.

MACDUFF

Je sais que vous prenez tout cela avec allégresse,
Mais c'est tout de même un tracas.

MACBETH

Le travail qui nous plaît, c'est le remède
De la peine qu'il donne. Voici sa porte.

MACDUFF

Je m'enhardis à entrer,
Puisque c'est mon tour de service.

Il entre.

LENNOX

Le roi part-il aujourd'hui ?

MACBETH

Oui, il l'a décidé.

LENNOX

Quels déchaînements, cette nuit ! Là où nous dormions,
Le vent faisait voler les cheminées. Et on nous a dit
Qu'il y avait des plaintes dans l'air, et des cris de mort
Étranges ; et qu'on a pu entendre, à longueur de nuit,
L'oiseau de la ténèbre prophétiser [17]
De ses clameurs abominables le désordre
Et les calamités qui vont éclore
Au nid d'un temps de malheur. Des gens assurèrent même
Que la terre en avait la fièvre, et en trembla.

MACBETH

Ce fut une rude nuit, en effet.

LENNOX

Ma mémoire est trop neuve pour garder trace
De rien de comparable.

Revient Macduff.

MACDUFF

Horreur ! Horreur ! Horreur !
Le cœur ne peut te concevoir, la langue te dire !

MACBETH, LENNOX

Qu'y a-t-il ?

MACDUFF

Le désordre du temps vient d'accomplir son chef-d'œuvre !
Le meurtre le plus sacrilège a renversé
Le temple consacré de notre Seigneur
Et a volé la vie de son sanctuaire.

MACBETH

Que dites-vous ? Quelle vie ?

LENNOX

Parlez-vous de Sa Majesté ?

MACDUFF

Venez jusqu'à sa chambre, et qu'une nouvelle Gorgone
Vous dévaste les yeux ! Ne me demandez pas de parler.
Voyez, parlez vous-même !

Sortent Macbeth et Lennox.

Debout, debout !
Qu'on sonne le tocsin ! Meurtre, traîtrise !
Banquo et Donalbain ! Malcolm, réveillez-vous !
Secouez ce tendre sommeil qui feint la mort,
Pour la regarder, la réelle ! Debout, debout !
Venez voir du grand Jugement l'image même.
Malcolm ! Banquo !
Levez-vous comme de la tombe, il vous faut être des spectres
Pour supporter cette horreur !

Une cloche sonne.
Entre lady Macbeth.

LADY MACBETH

Que se passe-t-il donc
Pour que des sonneries aussi effrayantes

Sonnent ainsi l'appel parmi ceux qui dorment ?
Parlez, mais parlez donc !

MACDUFF

Ô noble dame,
Ce n'est pas à vous d'écouter ce que ma bouche peut dire.
Un meurtre, ce serait,
Si ces mots-là tombaient dans une oreille de femme.

Entre Banquo.

Ô Banquo ! Banquo !
On a assassiné notre souverain !

LADY MACBETH

Ah, quel malheur !
Et dans notre maison ?

BANQUO

Où que ce soit, c'est trop épouvantable !
Cher Duff, je t'en supplie, contredis-toi,
Dis que cela n'est pas.

Rentrent Macbeth et Lennox.

MACBETH

Serais-je mort il y a moins d'une heure,
Ma vie aurait été bénie. Dorénavant,
Rien n'a de prix dans cette existence mortelle,
Tout n'y est que mirage. L'honneur, la gloire
Sont morts. Le vin de la vie est tiré.
Ce n'est que d'une lie que peut se vanter cette cave [18].

Entrent Malcolm et Donalbain.

DONALBAIN

Qu'est-ce qui ne va pas ?

MACBETH

C'est vous, sans le savoir !
La source, l'origine de votre sang
Est tarie. La fontaine, le flux en sont taris !

MACDUFF

On a assassiné le roi votre père !

MALCOLM

Oh, qui a fait cela ?

LENNOX

Ceux qui gardaient sa chambre, à ce qu'il semble.
Leur visage et leurs mains étaient teints de sang,
Et aussi leurs poignards, que nous trouvâmes,
Ah, pas même essuyés, sur leur traversin !
Ils avaient l'œil fixe, l'air égaré ; nulle vie
N'était en sûreté dans leur voisinage.

MACBETH

Oui, malgré tout je me repens de la fureur
Qui m'a porté à les tuer.

MACDUFF

Pourquoi l'avez-vous fait ?

MACBETH

Dites-moi qui peut être en un même instant
Sidéré et sensé, mesure et fureur
Et loyal à son prince et neutre ? Est-ce d'un homme ?
L'emportement, la violence de mon amour
Prirent de court la raison qui refrène. Duncan
Gisait là, devant moi. Sa peau était d'argent
Brodé de sang vermeil, ses plaies béantes

Faisaient brèche dans la nature, le désastre
S'y jetait, destructeur ; et là, ces assassins,
Sales de la couleur de leur profession, et leurs dagues
Indécemment pantalonnées de sang !
Qui eût pu s'empêcher,
Ayant au cœur l'amour autant que le courage,
De crier son amour ?

LADY MACBETH

A l'aide, emmenez-moi !

MACDUFF

Occupez-vous de lady Macbeth.

MALCOLM, *à part, à Donalbain.*

Pourquoi nous taisons-nous ? Quand cette affaire
Est avant tout la nôtre ?

DONALBAIN, *à Malcolm.*

Mais que pouvons-nous dire, en cette maison
Où notre sort, tapi dans un fourreau,
Peut en bondir, d'un coup, pour notre perte ?
Prenons le large !
Nos larmes ne sont pas distillées encore.

MALCOLM

Ni sur le pied de guerre
Notre immense chagrin !

Entrent des dames de compagnie.

BANQUO

Prenez soin de lady Macbeth.

Elles l'emmènent.

Et dès que nous aurons vêtu notre misérable chair
Que voici exposée au froid, et qui en souffre,
Retrouvons-nous, pour tenter de comprendre mieux
Cet horrible massacre. Les craintes nous assaillent,
Et les doutes aussi... Mais je veux, moi,
Me dresser pour combattre, dans la forte poigne de Dieu,
Les desseins encore cachés de la trahison et du crime.

MACDUFF

Je veux en faire autant.

TOUS

Et nous de même !

MACBETH

Prenons vite nos armes,
Et réunissons-nous dans la grande salle.

Ils sortent, sauf Malcolm et Donalbain.

MALCOLM

Qu'allez-vous faire ? Ne les rejoignons pas.
Simuler la douleur n'est que trop facile
A qui a l'âme fourbe. Je gagne l'Angleterre.

DONALBAIN

Et moi l'Irlande !
Dissocier nos fortunes
Nous sera pour chacun d'un plus grand secours.
Il y a des poignards ici, dans les sourires.
Le proche par le sang veut tout le premier notre sang.

MALCOLM

La flèche de ce meurtre
N'est pas encore retombée ; et le plus sûr

Est de nous mettre à couvert : donc, à cheval,
Et sans prendre congé, tant pis pour les convenances,
Disparaissons ! Se dérober aux autres, c'est œuvre pie,
Puisqu'ils n'hésitent pas à nous dérober notre vie.

Ils sortent.

Scène IV

Devant le château de Macbeth.

Entrent ROSS *et un vieillard.*

LE VIEILLARD

De quelque soixante-dix ans je garde claire mémoire.
Beau laps de temps, au cours duquel j'ai vu
Le plus horrible et le plus bizarre. Mais cette nuit
Est atroce, et réduit à néant mes souvenirs.

ROSS

Ah, bon père, ne dirait-on pas que les cieux
Sont perturbés par les actes des hommes
Et en secouent les tréteaux maculés de sang ?
A en croire l'horloge c'est le jour,
Et pourtant une nuit épaisse étouffe la torche errante.
Est-ce l'ascendant de la nuit, est-ce la vergogne du jour
Qui font que la ténèbre ensevelit la terre,
Quand devrait l'embrasser la lumière vivante ?

LE VIEILLARD

Oui, c'est contre nature
Comme le crime qui fut commis. Mardi dernier,

Un faucon au plus fier de son essor
Fut attaqué et tué par une chouette,
Une simple chouette à mulot !

ROSS

Et les chevaux de Duncan,
Ah, que ce fut étrange, mais c'est sûr !
Beaux et rapides comme ils sont, de vrais joyaux,
Se sont ensauvagés, ont brisé leurs stalles, se sont enfuis,
Impatients du servage, on eût dit en guerre
Contre l'espèce humaine !

LE VIEILLARD

Il paraît qu'ils se sont entre-dévorés.

ROSS

C'est exact,
Mes yeux l'ont vu, frappés de stupeur.

Entre Macduff.

Voici le cher Macduff.
Où en est le monde, messire ?

MACDUFF, *montrant le ciel.*

Ne le voyez-vous pas ?

ROSS

Sait-on qui a commis cet épouvantable forfait ?

MACDUFF

Ceux que Macbeth a tués.

ROSS

Las, quelle époque !
Que pouvaient-ils espérer ?

MACDUFF

Ils furent subornés.
Malcolm et Donalbain, les deux fils du roi,
Se sont enfuis, ce qui fait certes peser sur eux
Le soupçon qu'ils sont les coupables.

ROSS

Contre nature, cela encore !
Ambition effrénée, tu dévores donc
Jusqu'à la chair qui t'a donné vie !... La couronne,
La voici pour Macbeth, presque sûrement ?

MACDUFF

Il est déjà désigné ; et en route vers Scone
Pour son investiture.

ROSS

Où est le corps de Duncan ?

MACDUFF

On l'a porté au sanctuaire de Colme-Kill,
Le mausolée sacré
Où reposent déjà ses prédécesseurs.

ROSS

Irez-vous à Scone [19] ?

MACDUFF

Non, mon cousin, moi je rentre à Fife.

ROSS

Bien. J'irai, moi.

MACDUFF

Bien, dites-vous ?
Ah, puissiez-vous trouver le bien de ce côté-là !
Mais adieu !
De crainte que l'habit neuf ne vaille pas le vieux.

ROSS

Au revoir, père.

LE VIEILLARD

Dieu vous bénisse ; comme tous ceux qui veulent faire
Du mal le bien, de l'ennemi le frère.

Ils sortent.

ACTE III

Scène I

A Forres. Une chambre d'audience du palais.

Entre BANQUO.

BANQUO

Tu as tout, maintenant : Glamis, Cawdor, le titre royal,
Tout, comme les Sœurs fatales te le promirent,
Et je crains que tu n'aies joué un bien sale jeu pour le prendre !
Cependant il fut dit, aussi,
Que rien ne resterait dans ton héritage
Et que c'est moi qui serais le père, la souche,
D'un grand nombre de rois... Si les Sœurs dirent vrai,
Et dans ton cas, Macbeth, ce fut l'évidence,
Pourquoi donc ne prendrais-je pas cette vérité
Pour oracle, à mon tour, et ne pourrais-je
Nourrir quelque espérance ? Mais taisons-nous.

Fanfares. Entrent Macbeth en tenue de roi, lady Macbeth, en tenue de reine, Lennox, Ross, des seigneurs, et leur suite.

MACBETH

Voici le principal de nos invités.

LADY MACBETH

L'aurions-nous oublié,
Quel vide c'eût été à notre festin !
De tout point de vue, quelle inconvenance !

MACBETH, *à Banquo.*

Monsieur, nous donnerons à souper ce soir
En grande cérémonie,
Et je vous convie à être des nôtres

BANQUO

Que Votre Altesse commande !
Mon allégeance est sa chose.
Le nœud ne peut se défaire.

MACBETH

Irez-vous à cheval, cet après-midi ?

BANQUO

Oui, monseigneur.

MACBETH

C'est que nous désirions prendre votre avis
Toujours si pondéré et si profitable,
Au conseil de ce jour. Mais ce sera demain.
Devez-vous aller loin ?

BANQUO

Assez loin, monseigneur,
Pour me prendre le temps jusqu'au souper.
Et même si mon cheval

N'est pas au mieux, il faudra que j'emprunte
Une heure ou deux à la nuit.

MACBETH

Ne manquez pas notre fête !

BANQUO

Certes pas, monseigneur.

MACBETH

Nous apprenons que nos tristes cousins
Sont l'un en Angleterre, l'autre en Irlande.
Loin d'avouer leur affreux parricide,
Ils répandent les inventions les plus saugrenues.
Mais nous verrons cela demain, avec les autres affaires
Qui nous requièrent tous deux. Bien, à cheval !
Adieu jusqu'à ce soir ! Emmenez-vous Fléance ?

BANQUO

Oui, monseigneur. Et il nous faut partir.

MACBETH

Que vos chevaux soient prompts autant qu'assurés,
Je vous confie à leur selle. Au revoir.

Sort Banquo.

Que chacun d'entre vous dispose de sa journée
Jusqu'à sept heures ce soir.
Nous, pour plus de plaisir à vous accueillir,
Nous voulons rester seul jusqu'au souper.
A tout à l'heure ! Que Dieu vous garde !

Tous sortent, sauf Macbeth et un serviteur.

Juste un mot, mon ami.
Ces hommes que tu sais attendent-ils nos ordres ?

LE SERVITEUR

Oui, monseigneur.
Au porche du palais.

MACBETH

Amène-les.

Sort le serviteur

Ce que je suis n'est rien si rien ne l'assure.
La crainte de Banquo me déchire. Car ce qui règne
Dans sa nature altière, c'est d'abord
Une redoutable hardiesse, une trempe du caractère
Que rien ne fait plier. Et à cela s'ajoute
Une sagacité qui induit sa valeur
A n'agir qu'à coup sûr. C'est le seul être
Dont l'existence me fasse peur. Devant Banquo
Mon génie se recroqueville comme, dit-on,
Celui de Marc-Antoine devant César. Les Sœurs,
Comme il les a reprises ! Lorsque, au début,
Elles m'ont revêtu du titre royal,
Comme il leur a prescrit de parler ! Et c'est alors
Qu'elles ont salué en lui, prédit en lui,
Le père de cette descendance de rois,
Quand sur ma tête elles ne plaçaient que cette couronne
stérile
Et à mon poing que ce sceptre vain, qui me sera
Arraché par la main d'un autre lignage,
Aucun fils ne me succédant. Si c'est cela
Qui doit se faire, c'est pour la race de Banquo
Que j'aurai infecté mon âme, en assassinant
Le généreux Duncan. C'est pour eux, seulement pour eux,
Que ma sérénité se sera dissoute
Dans un vase de fiel ! Et ce joyau,
Mon existence éternelle,
C'est pour bâtir un trône à cette semence,

Aux enfants de Banquo, que je l'aurai jeté
A l'Ennemi des hommes ! Ah, non, plutôt
Entre en lice, fatalité, que je te défie
Au combat à outrance ! Qui vient là ?

Entre le serviteur, avec deux meurtriers.

Va à la porte, maintenant, et attends que je te rappelle.

Le domestique sort.

N'est-ce pas hier que nous nous sommes parlé ?

PREMIER MEURTRIER

Oui, s'il vous plaît, Votre Majesté.

MACBETH

Eh bien, avez-vous réfléchi à mes paroles ?
Avez-vous bien compris que c'est lui, toujours lui,
Qui vous gardait au pire de votre sort
Quand vous en accusiez mon innocence ?
Je vous l'ai démontré, la dernière fois, j'ai examiné
Point par point avec vous
Comment vous fûtes dupés, spoliés ; et par quelles méthodes,
Par quels intermédiaires, — bref, toutes choses
Qui, même à un esprit fêlé, à une âme infirme,
Crieraient : « C'est bien Banquo qui a fait cela ! »

PREMIER MEURTRIER

Vous nous l'avez appris.

MACBETH

Mais j'ai fait plus, et ce sera le thème
De ce second entretien ; vous sentez-vous
Assez patients, de votre naturel,
Pour supporter ces choses ? Assez évangéliques
Pour prier pour ce si brave homme et sa descendance

Quand sa pesante main vous ploya vers la tombe
Et voua votre sang à la gueuserie ?

PREMIER MEURTRIER

Monseigneur, nous sommes des hommes.

MACBETH

Oui, vous passez pour tels sur le catalogue,
Comme les lévriers ou les épagneuls,
Et les limiers, les bâtards, les braques,
Les roquets, les chiens-loups sont inscrits, eux,
Sous la rubrique des chiens. Mais le prix marqué
Distingue quel est lent et quel est rapide,
Quel est intelligent, quel sait garder
La maison, ou chasser ; bref, la vertu
Dont les a gratifiés la prodigue Nature
Et qui ajoute à chaque sa différence
Dans la liste qui les confond. Ainsi des hommes !
Ainsi de vous ! Dites seulement : notre place
N'est pas au dernier rang de la virilité
Et, mes discrets amis, je vous confie, moi,
La mission qui expédiera votre ennemi
En vous gagnant notre amour, et ce cœur
Qui ne bat qu'oppressé tant que Banquo est en vie,
Mais se dilaterait, s'il était mort.

SECOND MEURTRIER

Je suis un homme, monseigneur,
Que les vicissitudes de la vie et ses coups bas
Ont tant fait enrager
Qu'il se sent prêt à tout pour lui cracher au visage.

PREMIER MEURTRIER

Et moi,
Je suis si las des revers, le sort m'a tant malmené,

Que je risquerais tout sur la moindre chance
D'en finir avec cette dèche — ou l'existence.

MACBETH

Vous savez donc l'un et l'autre
Que Banquo fut votre ennemi.

LES DEUX MEURTRIERS

C'est exact, monseigneur.

MACBETH

Il est le mien tout autant ! Et qui de si près me serre
Que chaque instant de sa vie menace
Le plus vif de mon être. Oh, je pourrais,
N'en référant qu'à ma volonté souveraine,
Le balayer de ma vue, de façon publique ;
Mais je dois me garder d'agir ainsi
Car certains, dont l'affection m'est indispensable,
Sont ses amis autant que les miens. Et mieux vaut
Que j'aie l'air de pleurer celui que j'ai fait abattre.
Voici pourquoi je recherche votre assistance,
Masquant l'affaire au regard du monde
Pour ces quelques raisons qui sont de grand poids.

SECOND MEURTRIER

Monseigneur,
Nous exécuterons votre volonté.

PREMIER MEURTRIER

Et quand même nos vies...

MACBETH

Votre ardeur transparaît ! Dans moins d'une heure
Vous aurez su de moi où vous porter

Et quelle est l'heure de guet la plus propice,
Car tout doit être fait ce soir, et à quelque distance
De ce palais. N'oublions pas, en effet,
Qu'il ne faut surtout pas qu'on me soupçonne…
Oh, avec lui,
Pour que l'ouvrage n'ait pas de bosse, pas de fêlure,
Que Fléance, son fils, qui l'accompagne
Et dont l'éloignement, disons,
Ne m'importe pas moins que celui du père
Partage donc le sort de cette heure obscure.
Allez vous décider, je vous rejoins.

LES DEUX MEURTRIERS

C'est tout décidé, monseigneur.

MACBETH

Je vous retrouve tout de suite. Ne vous éloignez pas.

Ils sortent.

Banquo, c'en est fait de toi ! Si tu as l'espoir
De t'envoler au ciel, que ce soit ce soir !

Il sort.

Scène II

Entrent LADY MACBETH *et un serviteur.*

LADY MACBETH

Banquo est-il parti ?

LE SERVITEUR

Oui, madame. Mais il rentre dans la soirée.

LADY MACBETH

Dites au roi que j'ai à lui parler,
Quand il le voudra bien.

LE SERVITEUR

J'y vais, madame.

Il sort.

LADY MACBETH

On a tout dépensé en pure perte
Quand on a eu ce que l'on désire, mais sans bonheur.
Et mieux vaut être ce que l'on a détruit
Que de n'en retirer que cette joie qui s'angoisse.

Entre Macbeth.

Mais qu'avez-vous, monseigneur ? Pourquoi vous enfermez-
vous
Dans ces rêves lugubres ? Et avec ces pensées
Qui auraient dû mourir avec ceux-là mêmes
Qui vous obsèdent encore ? Ce qui n'a pas de remède,
Ne lui consentons pas de souvenir !
Ce qui est fait, c'est fait.

MACBETH

Nous avons tailladé le serpent, mais il vit encore,
Il va se remembrer, il se raffermit,
Et pendant tout ce temps, notre pauvre haine
Reste exposée au péril de ses crocs !
Ah ! plutôt voir crouler l'ordre du monde
Et s'effondrer ensemble ciel et terre
Que d'avaler, comme nous le faisons,
Nos repas dans la peur, et de dormir
Dans le tourment de ces terribles rêves
Qui nous secouent, la nuit ! Plutôt rejoindre

Ces morts dont, pour la paix de nos ambitions,
Nous avons assuré la paix éternelle,
Que de rester ainsi, sur le chevalet de torture
De l'esprit qui délire ! Duncan est dans sa tombe.
Il dort bien, lui, après cet accès de fièvre, la vie.
Le pire est fait, que la trahison pouvait faire,
Ni le fer meurtrier, ni le poison,
Ni la malignité des siens, ni les armées étrangères,
Rien désormais ne peut plus l'atteindre.

LADY MACBETH

Allons, mon cher seigneur, déridez-vous !
Votre mine est hagarde. Un peu de joie !
Étincelez parmi vos convives, ce soir.

MACBETH

Oui, mon amour ; mais vous, je vous en prie, faites de même
N'oubliez pas Banquo dans vos prévenances,
Donnez-lui préséance par les regards, les paroles ;
Tant que nous sommes en péril, il nous faut, hélas,
Laver notre crédit, qu'il pourrait détruire,
Dans des ruisseaux de flatteries ; et notre face
Doit masquer notre cœur.

LADY MACBETH

Ne pensez pas à ces choses !

MACBETH

Ah, j'ai l'esprit grouillant de scorpions, ma chère femme.
Car Banquo vit, tu le sais ; et Fléance, son fils !

LADY MACBETH

Crois-tu que la nature les ait voulus éternels ?

MACBETH

Non, c'est mon réconfort, ils sont vulnérables
Donc, sois joyeuse toi-même : avant que la chauve-souris
N'ait pris son vol cloîtré d'ombre, avant qu'Hécate la noire
N'ait tiré l'escarbot de son lit de fange
Pour qu'il sonne, d'un bourdonnement plein de somnolence,
La cloche du bâillement et de la nuit,
Quelque chose d'épouvantable aura eu lieu.

LADY MACBETH

Quelle chose ? dis-moi.

MACBETH

Mon oisillon,
Reste innocente de ce qui se trame
Jusqu'au moment de t'en réjouir !
Et toi, nuit qui couds l'une à l'autre nos paupières,
Viens aveugler le jour trop compassionné,
Puis, de ta main sanglante mais invisible,
Déchire ce contrat qui assure une vie
Mais fait trembler la mienne ! La lumière baisse,
Le corbeau prend son vol vers les autres freux,
Les bonnes créatures du jour penchent la tête, somnolent,
Tandis que les suppôts de la nuit s'éveillent
Pour traquer leurs victimes... Je vois que tu t'inquiètes
De mes paroles. Allons, bande ton âme !
Ce qui commence par le mal ne prospère que par le mal.
Viens avec moi, je t'en prie.

Ils sortent.

Scène III

Une route qui mène vers le palais.

Entrent les deux meurtriers, avec un troisième.

LE PREMIER MEURTRIER

Mais qui t'a commandé de te joindre à nous ?

LE TROISIÈME MEURTRIER

Macbeth.

LE SECOND MEURTRIER

Ne le soupçonnons pas, puisqu'il nous rapporte
Notre mission, nos consignes,
Exactement comme on nous les a dites.

LE PREMIER MEURTRIER

C'est bon, reste avec nous. On voit encore
Briller à l'Occident quelques lueurs.
C'est l'heure où le voyageur attardé
Éperonne sa bête, pour être à temps
A son auberge. Il doit être bien proche,
Celui que nous guettons.

LE PREMIER MEURTRIER

Écoutez ! J'entends des chevaux.

Voix de BANQUO, *à quelque distance.*

Hé, vous, éclairez-nous !

LE SECOND MEURTRIER

C'est lui ! Puisque tous les autres
De ceux que l'on attend au château ce soir
Sont entrés dans la cour.

LE PREMIER MEURTRIER

Ses chevaux font le tour ?

LE TROISIÈME MEURTRIER

Oui, pour presque une lieue. Mais lui, le plus souvent
Et comme tous les hommes, c'est à pied
Qu'il monte par ici jusqu'à la poterne.

Arrivent Banquo et Fléance, avec une torche.

LE SECOND MEURTRIER

Une lumière, une lumière !

LE TROISIÈME MEURTRIER

C'est lui.

LE PREMIER MEURTRIER

Tenez-vous prêts !

BANQUO

Il va pleuvoir, cette nuit.

LE PREMIER MEURTRIER

Ah oui, et que ça tombe !

Il éteint la torche.
Les autres frappent Banquo.

BANQUO

Trahison ! Fuis, mon Fléance, fuis, enfuis-toi vite !
Tu pourras me venger. Ah, le porc !

Il meurt. Fléance s'enfuit.

LE TROISIÈME MEURTRIER

Qui a éteint la torche ?

LE PREMIER MEURTRIER

Il ne le fallait pas ?

LE TROISIÈME MEURTRIER

C'est qu'on n'en a eu qu'un ! Le fils s'est enfui.

LE SECOND MEURTRIER

Et nous on a perdu
Le meilleur de l'aubaine.

LE PREMIER MEURTRIER

Soit !
Allons dire en tout cas ce qu'on a pu faire.

Ils sortent.

Scène IV

La grande salle du palais.

Un banquet est servi. Entrent MACBETH, LADY MACBETH, ROSS, LENNOX, *des seigneurs et leurs suites.*

MACBETH

Vous savez votre rang, chacun. Prenez donc place !
Soyez les bienvenus !
Mon cœur vous en assure une fois pour toutes.

LES SEIGNEURS

Sire, merci à vous !

MACBETH

Notre désir, en ce qui nous concerne,
C'est d'être parmi vous l'hôte le plus simple.
Notre hôtesse, pour commencer, reste sur son trône,
Mais au moment le plus convenable
Nous lui demanderons ses mots d'accueil.

LADY MACBETH

Sire, dites-les tout de suite à tous nos amis :
Qui sont les bienvenus, mon cœur en témoigne.

Le premier meurtrier paraît à la porte.

MACBETH

Vois, ils te remercient du fond du leur...
Le même nombre de part et d'autre ? Pour ma part,
Je vais donc me mettre au milieu.
Allons, que l'allégresse ait ses coudées franches !
Tout à l'heure,
Nous boirons à la ronde.

Il va à la porte.

Il y a du sang sur ta face...

LE PREMIER MEURTRIER

C'est donc celui de Banquo.

MACBETH

Bien mieux sur ta figure que dans son corps !
L'as-tu bien expédié ?

LE MEURTRIER

Par le fond de la gorge, monseigneur.
Je lui ai rendu ce service.

MACBETH

Tu es le prince des égorgeurs !
Mais c'en est un aussi, celui qui a eu Fléance.
Si c'est toi, tu es sans égal.

LE MEURTRIER

Grand roi ! Fléance s'est échappé.

MACBETH

Alors, reviens, ma fièvre ! Sans ce revers
J'aurais été à toute épreuve. Marbre sans faille,
Rocher ! Aussi libre que l'air, sans plus de limite !
Mais me voici empiégé, encagé, aux fers,
Tourmenté par la peur, nargué par le doute.
Banquo au moins, c'est tout à fait sûr ?

LE MEURTRIER

Oui, monseigneur ; sûr comme la fosse
Où il gît, la tête percée de vingt blessures
Dont la moindre est mortelle.

MACBETH

(A part.) Le voici mort, le serpent ! L'autre, le ver,
Celui qui s'est enfui, son venin va croître,
Mais pour l'instant il n'a pas de crocs.
(Haut.) Va-t'en. Nous nous reparlerons demain.

Sort le meurtrier.

LADY MACBETH

Mon royal maître,
Vous ne saluez pas vos hôtes, le verre en main ?

Le festin semble vendu, bien trop cher vendu
Quand on n'y redit pas sans cesse, et tant qu'il dure,
Qu'on l'offre de grand cœur. Car pour rien que manger,
Mieux vaut rester chez soi. Ailleurs,
Ce sont les politesses qui font la sauce,
Sinon la fête est bien maigre.

MACBETH

Que tu sais gentiment me le rappeler !
Eh bien, bon appétit à tous, bonne digestion,
Et, certes, bonne santé !

LENNOX

Que Votre Grandeur veuille bien prendre place.

Le spectre de Banquo entre, et s'assied à la place de Macbeth.

MACBETH

Nous verrions rassemblés sous notre toit, ce soir.
Tous ceux qui sont l'honneur de notre pays
Si Banquo, notre noble Banquo, était présent.
Mais plutôt l'accuser de désobligeance
Qu'avoir à déplorer quelque malheur !

ROSS

Qu'il soit absent, messire, cela ternit
Certainement sa promesse. Plairait-il
A Votre Majesté de nous faire l'honneur
De sa royale présence ?

MACBETH

La table est pleine.

LENNOX

Voici la place qui vous attend, sire.

MACBETH

Où ?

LENNOX

Ici, mon cher seigneur.
Qu'est-ce donc qui émeut Votre Majesté ?

MACBETH

Quel est celui de vous qui a fait cela ?

TOUS

Qui a fait quoi, monseigneur ?

MACBETH

Tu ne pourras prétendre que c'est moi !
N'agite pas, comme pour m'accuser,
Tes mèches trempées de sang.

Lady Macbeth se lève.

ROSS

Messieurs, debout ! Sa Majesté se sent mal.

LADY MACBETH

Restez en place, nobles amis ! Mon seigneur est souvent comme cela.
Et depuis sa jeunesse. Rassurez-vous, je vous prie.
L'accès ne dure pas. Le temps d'une pensée,
Et il sera rétabli. Si vous l'observez trop,
Vous allez l'irriter et prolonger sa souffrance.
Mangez, ne le regardez pas. — Es-tu un homme ?

MACBETH

Oui, — et un homme brave,
Pour oser regarder ce qui pourrait terrifier le diable.

LADY MACBETH

Sornettes que cela !
Ce n'est que ce que peint votre frayeur,
C'est comme ce poignard dessiné dans l'air
Qui vous mena vers Duncan, m'avez-vous dit.
Ah, ces tressaillements, ces bouffées d'angoisse
Qui singent la vraie peur, conviendraient mieux
A l'écoute des fables que les femmes
Se transmettent l'hiver, au coin du feu !
Honte sur vous !
Car pourquoi ces grimaces ? Tout compte fait,
Vous ne contemplez qu'une chaise !

MACBETH

De grâce, regarde, regarde, là ! *(Au spectre.)* Quoi, que dis-tu ?
Mais pourquoi m'en soucier ? Si tu branles du chef,
Tu peux parler, n'est-ce pas ?... Si charniers et tombes
Recrachent maintenant ceux que l'on enterre,
Autant bâtir nos tombeaux dans le gésier des vautours !

Sort le spectre.

LADY MACBETH

Quelle folie ! Vous n'êtes plus un homme !

MACBETH

Je l'ai vu, aussi vrai que je suis ici.

LADY MACBETH

Fi ! Quelle honte !

MACBETH

On a versé le sang bien avant nos jours
Où des lois plus humaines ont adouci

La société des hommes. Et depuis encore,
Hélas, on a commis d'autres meurtres, trop noirs
Pour qu'on puisse les dire. Il fut un temps,
Toutefois, où, quand s'éteignait une cervelle
L'homme mourait, et c'était la fin. Maintenant,
Avec vingt plaies mortelles sur le crâne,
Les voilà qui se lèvent d'entre les morts
Et nous prennent nos chaises... C'est plus étrange
Que le meurtre lui-même !

LADY MACBETH

Mon cher seigneur,
Vous vous devez à vos nobles amis.

MACBETH

Je l'oubliais.
Ne vous effarez point, mes très chers amis,
J'ai une infirmité étrange, mais qui n'est rien
Pour ceux qui me connaissent. Allons, à votre santé,
Avec tout notre amour... Puis je m'assiérai.
Qu'on me donne du vin, une pleine coupe !
Je bois à la gaieté de toute la table
Et à Banquo, notre cher Banquo, qui nous manque bien !
Ah, que n'est-il ici ! Buvons pour lui
Et pour vous tous, avec tous nos vœux pour chaque.

LES SEIGNEURS

Et pour vous nos devoirs et notre allégeance !

Revient le spectre.

MACBETH

Arrière ! Hors de ma vue ! Que la terre te cache !
Car tes os sont sans moelle, et ton sang est froid,

Et il n'y a pas de pensée dans ce regard
Que jettent sur moi tes yeux !

LADY MACBETH

Ah, messeigneurs,
Ne voyez là que la chose ordinaire, rien d'autre,
Sauf que cela vient gâter notre fête.

MACBETH

Ce qu'un homme ose, je l'ose ! Viens à moi
Sous l'apparence de l'ours russe le plus farouche,
Du rhinocéros le plus hérissé, du tigre
Le plus féroce de l'Hyrcanie. Prends toute forme
Sauf celle-ci, et mes nerfs assurés ne trembleront pas.
Ou encore : revis, et défie-moi
Au combat à l'épée jusque sur la lande déserte
Et si je reste ici à trembler de peur, tu pourras me dire
Une poule mouillée. Va-t'en, va-t'en,
Horrible spectre, image sans substance !

Le spectre sort.

Oui, oui, comme cela. — Quand il s'en va,
Je redeviens un homme... Je vous en prie, reprenez vos places.

LADY MACBETH

Vous avez banni l'allégresse de cette bonne soirée
Avec ces bizarres désordres.

MACBETH

Des choses de cette sorte
Peuvent-elles paraître et passer sur nous
Comme un nuage d'été, sans nous étreindre
D'un effroi lui-même inusuel ? Vous me rendez
Étranger à mon être même, quand je vois

Que vous soutenez ces visions
Sans perdre le rubis naturel à vos joues !
Les miennes ont blêmi sous l'épouvante.

ROSS

Quelles visions, monseigneur ?

LADY MACBETH

Je vous en prie, laissez-le ! Son mal
Ne cesse de s'aggraver, et des questions
Le mettront en fureur. Vite, bonsoir.
Partez sans protocole, partez vite !

Ils se lèvent et sortent.

LENNOX

Bonne nuit ! Que Sa Majesté se porte mieux !

LADY MACBETH

Bonne nuit, bonne nuit à tous !

MACBETH

C'est du sang qu'il demande ! Ne dit-on pas
Que le sang appelle le sang ? On a vu des pierres
Bouger[20], et des arbres parler, et des augures
Démasquer par la pie, le freux, le choucas,
L'assassin le moins soupçonnable, élucidant
Ce qui liait un effet, une cause... La nuit,
Où en est-elle ?

LADY MACBETH

A lutter avec l'aube, mêlée confuse.

MACBETH

Que penses-tu du refus de Macduff
D'être présent à notre grande fête ?

LADY MACBETH

Lui aviez-vous envoyé quelqu'un ?

MACBETH

Je l'ai su indirectement, mais je ferai vérifier.
Il n'en est pas un seul chez qui je n'entretienne
Un agent à ma solde... Demain, dès l'aube,
J'irai à la rencontre des Trois Fatales.
Et elles m'en diront plus ; car, désormais,
Je suis prêt à savoir le pire, et par les pires moyens.
Devant mon intérêt tout doit céder le pas
Puisque je suis si loin dans ce flot de sang
Que, si je renonçais à y patauger davantage,
M'en retirer, ce serait aussi dur qu'avancer encore.
J'ai en esprit des choses contre nature, qui veulent être,
Et je dois les exécuter avant d'en prendre mesure.

LADY MACBETH

Vous manquez de ce qui préserve toutes les vies,
Le sommeil.

MACBETH

C'est vrai, allons dormir.
Mon hallucination, sa bizarrerie,
C'est l'effroi du novice, il me faut m'aguerrir.
Nous sommes si jeunes encore, dans le crime.

Ils sortent.

Scène V[21]

La lande.

Coup de tonnerre. Entrent les trois sorcières, à la rencontre d' HÉCATE.

PREMIÈRE SORCIÈRE

Qu'y a-t-il donc, Hécate ? Vous paraissez en colère.

HÉCATE

N'en ai-je pas le droit, vieilles peaux que vous êtes,
Et pourtant effrontées et trop hardies ? Avec Macbeth,
Vous avez osé trafiquer d'énigmes, passer des marchés de mort,
Sans m'inviter, moi, moi, la reine de vos magies,
Et qui machine de près tous les maléfices,
A prendre part à celui-ci, pour y répandre
Tout l'éclat de notre art. Et chose pire,
Vous avez fait cela pour un obstiné,
Gonflé de hargne et de rancune qui, comme tous,
Vit pour ses intérêts, et non pour les vôtres !
Mais amendez-vous maintenant : filez,
Et à l'orifice de l'Achéron
Rejoignez-moi à l'aube : car c'est là
Qu'il va venir pour connaître son sort.
Préparez vos chaudrons, vos incantations,
Vos sortilèges, et tout le tralala.
Moi, je prends la fille de l'air. Car je consacre
Cette nuitée à une affaire d'un sinistre !

Et fatale, et considérable, qu'il me faut
Finir avant midi. Du croissant de la lune
Dégoutte une vapeur aux vertus secrètes.
Je la recueille avant qu'elle ne touche terre
Et, distillée par mes tours de magie,
D'elle naîtront des esprits de tant d'artifice
Qu'ils vont, par leur pouvoir d'illusionnement,
Jeter Macbeth à sa perte. Il méprisera le destin,
Fera fi de la mort, il suivra ses rêves
Plus loin que tout honneur, crainte ou sagesse,
— Tant l'excès d'assurance, vous le savez,
Est la pire ennemie de ces créatures mortelles.

Musique, et une chanson : « Venez-vous-en, venez-vous-en », etc.

Ah, on m'appelle ! Voyez, c'est mon petit génie
Qui m'attend à califourchon sur ce tas de brume.

Elle disparaît.

PREMIÈRE SORCIÈRE

Allons, vite ! Elle sera bientôt de retour.

Elles sortent.

Scène VI

Un château en Écosse.

Entrent LENNOX *et un autre seigneur.*

LENNOX

Mes précédents propos n'ont fait qu'éveiller peut-être
Votre pensée, qui peut y réfléchir plus.

Ce que j'ai dit, simplement,
C'est que tout cela, c'est plutôt bizarre. Le valeureux Duncan,
Comme Macbeth l'a plaint ! Parbleu, il était mort.
Et ce vaillant Banquo qui se promenait trop tard !
Lui, c'est Fléance qui l'a tué, on peut bien le dire
Si on en a envie : car il s'est enfui, Fléance.
On a bien tort de se promener si tard !
Quant à Malcolm et à Donalbain,
Qui pourrait s'empêcher de trouver plutôt monstrueux
Qu'ils aient fait tuer leur valeureux père ? Quel cas pendable !
Comme il a fait souffrir Macbeth ! Lequel n'a-t-il pas,
En sa sainte fureur, mis sur-le-champ
Les deux tueurs en pièces, eux qui déjà
Étaient esclaves de la boisson et du sommeil ?
Quelle noble conduite, n'est-il pas vrai ? Et judicieuse, aussi bien,
Puisqu'il n'est pas de cœur qui n'eût enragé
A les entendre protester de leur innocence.
Tout compte fait,
Macbeth a bien mené sa barque, je vous le dis,
Et je pense même bien fort que, s'il les tenait,
Ah, Dieu fasse que non ! ces fils de Duncan,
Ils verraient ce que c'est que de tuer un père,
Et Fléance, de même. Allons, du calme !
On m'a dit que Macduff vit en disgrâce
Pour des propos trop libres, et n'être pas venu
A la fête chez le tyran. Monsieur, pourriez-vous me dire
Où il se trouve, présentement ?

LE SEIGNEUR

Le fils de Duncan,
Celui dont le tyran retient l'héritage,
Vit à la cour d'Angleterre, où le pieux Édouard[22]
Lui fait si grand honneur que son infortune

N'altère en rien son prestige. C'est en ce lieu
Que Macduff est allé prier le saint roi
De l'aider à toucher et Northumberland et Siward,
Le belliqueux Siward, pour que leur appui,
Avec l'aide du ciel pour parachever,
Nous rende l'appétit à table, et le sommeil,
Et bannissant les dagues de nos fêtes,
Nous permette d'être fidèles dans l'hommage,
Intègres dans la poursuite des honneurs,
En bref, tout ce qui tant nous manque... Ces nouvelles
Ont tellement exaspéré le roi
Qu'il se prépare à des actions de guerre.

LENNOX

Avait-il envoyé quelqu'un chez Macduff ?

LE SEIGNEUR

Certes, mais entendant
Un « Monsieur, non, pas moi » catégorique,
Le soucieux messager s'était retiré,
Marmonnant quelque : « Vous regretterez l'heure
Qui vient de m'accabler de cette réponse. »

LENNOX

Réponse qui devrait bien
L'inciter à prudence, et à s'éloigner
Autant que son bon sens peut le lui permettre... Ah, qu'un ange du ciel
Vole à la cour d'Angleterre et, avant qu'il n'arrive
Expose son message : pour que bientôt
Soit à nouveau bénie notre terre qui souffre
Sous cette main maudite !

LE SEIGNEUR

Je l'accompagnerai de mes prières.

Ils sortent.

ACTE IV

Scène I[23]

Une caverne. Au milieu, un chaudron qui bout.

Coup de tonnerre. Entrent les trois sorcières.

LA PREMIÈRE SORCIÈRE

Le chat tigré a miaulé, trois fois.

LA SECONDE SORCIÈRE

Le hérisson a piaulé, trois et une fois.

LA TROISIÈME SORCIÈRE

Le démon-harpie a crié : « C'est l'heure, c'est l'heure ! »

LA PREMIÈRE SORCIÈRE

Alors, dansons autour du chaudron,
Jetons-y des tripes pourries.
Et d'abord, dans le pot magique,
Faisons bouillir le crapaud
Qui, dormant sous la pierre froide

Trente et une nuits et journées,
A bien exsudé son venin.

TOUTES

Grouillons double pour double trouble,
Qu'à feu sifflant chaudron bouille !

LA SECONDE SORCIÈRE

Ajoutez à cuire au chaudron
Un filet de serpent des mares,
Un œil de triton, un doigt
Coupé d'un pied de grenouille ;
Et du poil de chauve-souris,
Une langue de chien, la fourche
D'une vipère, le dard
D'un orvet, et la patte et l'aile
D'un lézard et d'une chevêche.
Pour un brouet de l'enfer
Dont le charme ait force d'embrouille,
C'est là ce qu'il faut qui bouille.

TOUTES

Grouillons double pour double trouble,
Qu'à feu sifflant chaudron bouille !

LA TROISIÈME SORCIÈRE

Écaille de dragon, dent de loup,
Poudre de momie de sorcière,
Mâchoire et profonde goule
De vorace requin des mers ;
Ciguë de nuit déterrée,
Foie de Juif qui a blasphémé,
Bile de chèvre, repousses d'if
Brisées par éclipse de lune,

Nez de Turc, lèvres de Tartare,
Doigt de bébé qu'étrangla
Dans la fosse où elle accoucha
Quelque pute, c'est ce qui fait
Épais et gluant le brouet :
A quoi nous ajouterons
Juste un peu d'entrailles de tigre
Pour épicer le bouillon.

TOUTES

Grouillons double pour double trouble,
Qu'à feu sifflant chaudron bouille !

LA SECONDE SORCIÈRE

Le sang d'un babouin pour le refroidir, maintenant,
Et voici un merveilleux philtre, bien consistant.

Entrent Hécate et les trois autres sorcières.

HÉCATE

Oh, très bien ! J'apprécie votre travail,
Et chacune aura sa part du profit.
Mais d'abord chantons, autour du chaudron,
Comme font les fées et les elfes, en rond.
Pour bien ensorceler ce que vous avez concocté.

Musique et une chanson : « Esprit des ténèbres »... Hécate sort.

LA SECONDE SORCIÈRE

Par le picotement de mes pouces,
Voici un démon à nos trousses !
Ouvrez-vous, mes petits verrous,
A quiconque frappe le coup !

Entre Macbeth.

MACBETH

Eh bien, les vieilles de minuit, vous les secrètes, les noires,
Que faites-vous ?

TOUTES

Œuvre qui n'a pas de nom.

MACBETH

Par cet art que vous pratiquez,
Et peu importe de qui vous l'avez appris,
Je vous somme de me répondre ! Oui, faudrait-il
Que vous désenchaîniez les vents, et qu'ils se ruent
Sur les clochers ; faudrait-il que la vague bouillonnante
Disloque et engloutisse les navires,
Et que le jeune blé soit couché au sol, que les arbres
Tombent, que les châteaux s'écroulent sur leurs soldats,
Et que glissent palais et pyramides
Jusqu'au plus bas de leurs fondations ; faudrait-il
Que le trésor des germes de Nature
Soit renversé, s'éparpille
A en rendre malade jusqu'au génie de la ruine,
Vous répondrez à ce que je demande.

LA PREMIÈRE SORCIÈRE

Mais bien sûr !

LA SECONDE SORCIÈRE

Demande donc !

LA TROISIÈME SORCIÈRE

Tu auras ta réponse.

LA PREMIÈRE SORCIÈRE

Dis seulement si tu préfères l'entendre
De notre bouche, ou directement de nos maîtres.

MACBETH

Appelle-les, que je puisse les voir.

LA PREMIÈRE SORCIÈRE

Répands ce sang d'une truie qui a dévoré
Ses neuf petits ; jette dans le feu cette graisse
Qu'a exsudée un gibet d'assassin !

TOUTES

Toi, viens d'en haut, toi, viens d'en bas !
Fais ton devoir, montre-toi.

Tonnerre. Première apparition, une tête armée[24].

MACBETH

Dis-moi, puissance inconnue...

LA PREMIÈRE SORCIÈRE

Il connaît ta pensée.
Écoute ce qu'il dit mais ne parle pas.

LA PREMIÈRE APPARITION

Macbeth ! Macbeth ! Macbeth ! Crains Macduff,
Crains le seigneur de Fife... Assez ! Libérez-moi !

L'apparition descend.

MACBETH

Qui que tu sois, merci pour le bon conseil.
Tu as touché au plus vif de mes craintes.
Mais rien qu'un mot encore...

LA PREMIÈRE SORCIÈRE

Il n'accepte aucun ordre.
Mais en voici un autre, plus puissant.

Tonnerre. Seconde apparition, un enfant ensanglanté.

LA SECONDE APPARITION

Macbeth ! Macbeth ! Macbeth !

MACBETH

Que n'ai-je trois oreilles pour mieux t'entendre !

LA SECONDE APPARITION

Sois sanguinaire, sois téméraire, sois résolu,
Et ris-toi du pouvoir de l'homme, méprise-le.
Aucun être né d'une femme
Ne peut rien contre toi, Macbeth.

L'apparition descend.

MACBETH

Alors existe, Macduff ! Qu'ai-je besoin de te craindre ?
Tout de même, mieux vaut double assurance
Et prendre sur le sort une garantie.
Tu ne vivras donc pas, Macduff : que je puisse dire
A la peur au front blême qu'elle est menteuse,
Et dormir, malgré le tonnerre.

Tonnerre. Troisième apparition, un enfant couronné, qui tient dans ses mains un arbre.

Qu'est-ce que celui-ci
Qui monte comme la progéniture d'un roi
Et dont le front d'enfant porte le cercle
Qui dit le plus haut pouvoir ?

TOUTES

Écoute, ne lui dis rien !

LA TROISIÈME APPARITION

Aie la trempe et l'orgueil d'un lion, et moque-toi
De qui enrage ou s'agite ou conspire.

Pour que Macbeth soit vaincu, il faut
Que le grand bois de Birnam
Avance contre lui jusqu'à la crête de Dunsinane.

L'apparition descend.

MACBETH

Ce qui ne sera pas !
Qui pourrait enrôler des arbres, leur demander
D'extirper du sol leurs racines ? Ah, beaux et bons présages !
Révolte, ne dresse pas la tête
Tant que les bois de Birnam n'en font pas autant,
Et que Macbeth prospère sur ses hauteurs, jusqu'au terme
Qu'a fixé la nature, et rende son souffle
Au temps seul, à la loi commune !... Pourtant, mon cœur
Brûle d'apprendre une chose encore ; dites-moi,
Si votre art y suffit : les enfants de Banquo
Régneront-ils jamais sur ce royaume ?

TOUTES

Ne cherche pas à en savoir plus !

MACBETH

Je veux savoir ! Si vous me dites non,
Que retombe sur vous la malédiction éternelle !
Expliquez-moi...

Hautbois. Le chaudron disparaît.

Mais pourquoi le chaudron
Disparaît-il ? Et cette musique, qu'est-ce que c'est ?

LA PREMIÈRE SORCIÈRE

Montrez-vous !

LA SECONDE SORCIÈRE

Montrez-vous !

LA TROISIÈME SORCIÈRE

Montrez-vous !

TOUTES

Montrez-vous à ses yeux, navrez son cœur,
Venez et repartez comme des ombres.

Vision de huit rois, dont le dernier tient un miroir. Le spectre de Banquo les suit.

MACBETH

Toi, tu ressembles trop au spectre de Banquo
Disparais ! Ta couronne brûle mes yeux.
Et toi, qui suis,
Le front également encerclé d'or,
Tes cheveux, mais ce sont les siens ! Et ce troisième,
Mais il leur est semblable ! Sales sorcières,
Pourquoi me montrez-vous cela ? Un quatrième ?
Sautez, mes yeux, de vos orbites ! Cette file
Va-t-elle s'allonger jusqu'au coup de tonnerre
Du Jugement dernier ? Un autre encore ! Un septième !
Je ne regarderai plus ! Ah, le huitième,
Qui porte ce miroir qui m'en montre d'autres,
Tant d'autres, dont certains
Arborent un globe double et un triple sceptre[25].
L'horrible vision ! Et la véridique,
Puisque voici Banquo lui-même, cheveux collés par le sang,
Qui me sourit, et me montre sa descendance...
Quoi, est-ce vrai ?

LA PREMIÈRE SORCIÈRE

Oui, sire, tout cela est vrai. Mais pourquoi diable
Macbeth reste-t-il là, comme pétrifié ?
Allons, mes sœurs, égayons ses esprits,
Offrons-lui les meilleurs de nos délices.

Vous, vous lui danserez votre sarabande
Et moi j'enchante l'air pour qu'il retentisse
Et que ce grand monarque puisse nous dire
Que nos respects auront su l'accueillir.

Musique. Les sorcières dansent, puis disparaissent.

MACBETH

Où sont-elles ? Parties ? Que cette heure funeste
Reste à jamais maudite dans les mémoires !
Entrez, vous, là dehors !

Entre Lennox.

LENNOX

Quel est le bon plaisir de Votre Grâce ?

MACBETH

Avez-vous vu les Fatales ?

LENNOX

Non, monseigneur.

MACBETH

Ne sont-elles passées auprès de vous ?

LENNOX

Nullement, monseigneur.

MACBETH

Que soit empoisonné l'air qu'elles chevauchent
Et damnés tous les sots qui leur font confiance !
J'ai entendu
Un galop de cheval. Qui passait là ?

LENNOX

Deux ou trois messagers, monseigneur, qui voulaient vous dire
Que Macduff s'est enfui en Angleterre.

MACBETH

Enfui ? En Angleterre ?

LENNOX

Ma foi oui, monseigneur.

MACBETH, *à part.*

Ô temps ! Tu prends de court mes sombres projets.
Notre rêve est trop prompt, il nous échappe
Si l'action ne lui vole aux trousses ! Dorénavant
Le premier-né de mon désir, que ce soit aussi
Le premier de ma poigne ! Et tout de suite,
Pour couronner ma pensée par des actes,
Que ceci s'accomplisse, que je conçois.
J'attaque par surprise le château de Macduff,
Je m'empare de Fife, je passe au fil de l'épée
Sa femme, ses enfants, et toute âme dont l'infortune
Est d'être de sa lignée. Et ce n'est pas là vaine vantardise,
Je l'aurai fait avant que n'en refroidisse l'idée.
Mais plus de ces mirages ! *(Haut.)* Où sont ces gentilshommes ?
Vite, conduisez-moi où ils se trouvent.

Ils sortent.

Scène II

Fife. Une salle du château de Macduff.

Entrent LADY MACDUFF, *son fils et* ROSS.

LADY MACDUFF

Qu'avait-il fait qu'il dût ainsi s'enfuir ?

ROSS

Il vous faut patienter, madame.

LADY MACDUFF

L'a-t-il fait, lui ? Sa fuite est insensée !
Quand on n'a pas trahi par sa conduite,
On peut sembler l'avoir fait, par ses craintes.

ROSS

Crainte ou sagesse, vous ne savez.

LADY MACDUFF

Sagesse ? Abandonner sa femme, ses enfants,
Sa demeure, ses titres, à l'endroit même
Dont soi-même on s'enfuit ? Il ne nous aime pas,
Il lui manque l'instinct le plus naturel. Un roitelet,
De tous les oiseaux le plus minuscule,
Combat contre la chouette, pour sa nichée.
Mais lui ? Tout dit la peur, rien ne montre l'amour
Et où est la sagesse, quand la fuite
Heurte à ce point la raison ?

ROSS

Ma bien chère cousine, je vous en prie,
Il faut vous raisonner. Votre mari
Est noble, sage, il a du jugement
Et connaît mieux que nous les désordres du siècle.
Je n'ose pas en dire davantage
Mais cruels sont ces temps, où l'on peut être un traître
Et ne pas le savoir ; où l'on se parle
De dangers que l'on craint mais sans les comprendre,
Flottant sur une mer violente, dérivant
En tous sens, en aucun... Je prends congé de vous
Mais avant peu je serai de retour.
Quand les épreuves en sont au pire, elles s'achèvent
Ou c'est le mieux qui revient, comme avant...
(A l'enfant.) Mon gentil cousin,
Que le ciel vous ait en sa garde !

LADY MACDUFF

Il a un père et pourtant il est orphelin.

ROSS

J'ai si peu de raison que si je restais encore
Ce serait pour ma honte et votre chagrin.
Adieu donc, sur-le-champ.

Il sort.

LADY MACDUFF

Ton père est mort, mon petit,
Que vas-tu faire maintenant ? Comment vas-tu vivre ?

LE FILS

Comme les oiseaux, ma mère.

LADY MACDUFF

Crois-tu, de vers et d'insectes ?

LE FILS

De ce que je trouverai, comme ils le font bien.

LADY MACDUFF

Pauvre oisillon ! Qui ne craindras ni filet ni glu,
Ni les collets ni les trappes.

LE FILS

Pourquoi les craindrais-je, ma mère ?
Qui s'en prendrait à de pauvres oiseaux ? Quant à mon père,
Il n'est pas mort, quoi que vous en disiez.

LADY MACDUFF

Si, il est mort. Comment le remplaceras-tu, ton père ?

LE FILS

Et vous, votre mari ?

LADY MACDUFF

Oh, ça ! Je puis m'en payer vingt, au premier marché !

LE FILS

Ce sera donc sans doute pour les revendre ?

LADY MACDUFF

Tu mets tout ton esprit à me répondre,
Et, ma foi, pour ton âge ce n'est pas mal.

LE FILS

Mon père était-il un traître, ma mère ?

LADY MACDUFF

Hélas, il le fut bien.

LE FILS

Un traître, qu'est-ce que c'est ?

LADY MACDUFF

Quelqu'un qui jure puis se parjure.

LE FILS

Tous ceux qui font cela, ce sont des traîtres ?

LADY MACDUFF

Tous des traîtres, qu'il faut qu'on pende.

LE FILS

Tous ceux qui jurent et se parjurent ?

LADY MACDUFF

Tous.

LE FILS

Et qui devra les pendre ?

LADY MACDUFF

Eh bien, les honnêtes gens.

LE FILS

Alors quels sots, ceux qui se parjurent ; puisqu'ils sont assez nombreux à se parjurer et mentir pour rosser les honnêtes gens et les faire pendre à leur place.

LADY MACDUFF

Dieu te garde, mon pauvre singe. Mais comment feras-tu pour trouver un père ?

LE FILS

Si le mien était vraiment mort, vous le pleureriez ; ou sinon, ce serait le signe que je l'aurais bientôt, l'autre père.

LADY MACDUFF

Comme tu jacasses, petit bavard !

Entre un messager.

LE MESSAGER

Dieu vous bénisse, madame ! Je suis inconnu de vous
Mais sais parfaitement votre qualité.
Un péril imminent vous menace, j'ai à le craindre,
Et si vous acceptez l'avis d'une humble personne,
Ne restez pas ici ! Partez vite, avec vos enfants.
C'est bien cruel, je le sais, de vous effrayer de la sorte,
Mais vous en faire plus serait monstrueux,
Et c'est ce qui approche. Le ciel vous garde !
Je n'ose pas rester davantage.

Il sort.

LADY MACDUFF

Où devrais-je m'enfuir ?
Je n'ai rien fait de mal. Hélas, je n'oublie pas
Que je vis sur ce globe, où faire le mal
Attire la louange, quand le bien passe
Combien de fois, pour folie dangereuse.
Je n'ai rien fait de mal ?
Las, à quoi bon essayer cette défense des femmes ?
— Qui sont ces gens ?

Entrent les meurtriers.

UN MEURTRIER

Où est votre mari ?

LADY MACDUFF

En aucun lieu si maudit, j'espère,
Que tes pareils l'y retrouvent !

LE MEURTRIER

C'est un traître !

LE FILS

Tu mens, crinière de singe !

LE MEURTRIER

Voyez le petit œuf,
Le frai de la trahison !

Il le poignarde.

LE FILS

Il m'a tué, ma mère.
Enfuyez-vous, je vous en conjure !

Sort lady Macduff, criant « Au meurtre ! » Les assassins la poursuivent.

Scène III

En Angleterre, devant le palais du roi.

Entrent MALCOLM *et* MACDUFF.

MALCOLM

Cherchons l'ombre la plus lugubre
Pour épancher nos cœurs tristes.

MACDUFF

Non, empoignons plutôt
Le glaive meurtrier et, en braves cœurs,
Défendons la patrie jetée si bas ! Chaque matin
Sanglotent de nouvelles veuves, gémissent
De nouveaux orphelins ; et de nouvelles douleurs
Frappent la face du ciel, qui en résonne
Comme s'il souffrait pour l'Écosse, et proférait
Les mêmes cris de désespérance.

MALCOLM

Je pleurerai si je ne puis douter ;
Et de ce que je sais, comment douterais-je ?
Mais que le temps le veuille, et je redresserai
Tout ce qui tient à moi !... Ce que vous suggérez
Est sincère, peut-être. Mais ce despote
Dont le seul nom écorche notre bouche,
On l'avait cru honnête ; vous l'aimiez bien,
Et vous a-t-il jamais maltraité encore ?
Quant à moi, je suis jeune,
Mais vous pourriez, par moi, bien mériter de lui
Et juger que c'est sage, de sacrifier
Le pauvre agneau, innocent mais débile,
Pour apaiser la colère d'un dieu.

MACDUFF

Je ne suis pas perfide.

MALCOLM

Mais Macbeth l'est,
Et même une nature honnête peut faiblir
Sous un ordre royal... Vous me pardonnerez,
Car ces pensées que j'ai, que changent-elles
A ce qu'au vrai vous êtes ? Les anges resplendissent

Même depuis qu'a chu le plus éclatant,
Et quand toute infamie feindrait la vertu
La vertu doit montrer son vrai visage.

MACDUFF

Ai-je perdu tout espoir ?

MALCOLM

Ce serait là où je trouve mes doutes !
Car pourquoi avez-vous laissé sans défense,
Ni même leur dire adieu, une femme, un fils,
Qui sont le bien et le lien de l'amour ?
Je vous en prie,
Que mes soupçons ne vous soient pas injure,
Qui ne vont qu'à ma sauvegarde ! Quoi que je puisse craindre,
Vous pouvez être loyal.

MACDUFF

Saigne, saigne, pauvre pays,
Et toi, puissante tyrannie, renforce encore ta base,
Puisque le bien n'ose te tenir tête ! Arbore ton injustice,
Ton droit est confirmé. Adieu, seigneur,
Pour toute l'étendue que le tyran domine,
Avec en plus l'Orient et ses richesses,
Je m'en voudrais d'être le scélérat
Que tes pensées imaginent.

MALCOLM

Ne vous offensez pas !
Je n'ai pas dit cela par vraie crainte de vous.
Ma pensée ? C'est que notre pays plie sous le joug
Qu'il pleure et saigne, et que chaque jour ajoute sa plaie
Aux précédentes blessures. C'est donc ne pas douter

Qu'il y aura des bras pour aider ma cause.
Outre cela, du saint roi anglais
N'ai-je pas l'offre ici de milliers de braves ?
Oui, et pourtant,
Quand je piétinerai la tête du despote,
Quand je la porterai au bout de mon glaive,
Mon malheureux pays connaîtra plus de maux
Qu'auparavant, plus de chagrins encore, et de plus divers,
Du fait de son successeur.

MACDUFF

Qui serait celui-ci ?

MALCOLM

C'est de moi que je parle ! Moi où je sais
Si bien greffées toutes les variétés du vice
Que le sombre Macbeth, à leur floraison,
Apparaîtra du coup blanc comme neige.
Le malheureux royaume dira : « C'était un agneau »,
Quand il pourra le comparer à ma perversité sans limite.

MACDUFF

Même dans les rangs de l'Enfer
Il n'y a pas de diable assez satanique
Pour faire mieux que Macbeth !

MALCOLM

Je consens qu'il est sanguinaire,
Lascif, avare, hypocrite, rusé,
Violent, méchant, puant de tous les vices
Qui ont un nom sur terre. Mais il n'est pas de fond
A ma lubricité. Vos épouses, vos filles,
Femmes mûres ou jeunes vierges, ne pourront
Jamais combler le puits de ma luxure,

Et mon ardeur balaiera tout obstacle
Que la vertu mettrait à mon désir.
Mieux vaut pour vous Macbeth qu'un pareil prince.

MACDUFF

L'intempérance sans borne
Peut être le tyran d'une nature.
Elle a souvent dégarni avant l'heure
Le trône le plus heureux ; et usé bien des rois !
Pourtant, ne craignez pas de prendre ce qui est vôtre.
Il y a bien assez pour vos plaisirs. Et vous pourrez même
Pendant ce temps illusionner le siècle
D'un dehors de froideur. Ah, nous ne manquons pas
De dames complaisantes : et si vorace que soit votre vautour,
Croyez qu'il ne pourra croquer toutes celles
Qui le voudront de la majesté de leur roi,
Dès qu'elles lui verront cette préférence.

MALCOLM

Oui, mais il s'y ajoute,
Dans mon tempérament très mal composé,
Une cupidité si intarissable qu'étant le roi
Je faucherai les nobles pour m'emparer de leurs terres.
Je voudrai les joyaux de l'un, la maison d'un autre,
Et avoir toujours plus ne me sera que l'épice
D'une faim toujours pire. Aux meilleurs, aux loyaux,
Je chercherai des querelles injustes.
Pour m'enrichir je les détruirai !

MACDUFF

Cette cupidité
Pousse plus bas ses racines, et celles-ci sont plus pernicieuses
Que la luxure, qui passe avec l'été.
C'est le glaive qui tue les rois. Pourtant

Ne craignez pas. L'Écosse a à foison
De quoi calmer la soif de tout posséder.
Et ces dérèglements restent supportables
Quand ils sont compensés par des vertus.

MALCOLM

Mais c'est que je n'en ai pas... Celles qui font les princes,
La justice, la loyauté, la modération, l'équilibre,
La bonté, la persévérance, la miséricorde, l'humilité,
Le dévouement, la patience, la bravoure, la force d'âme,
Je n'en ai nulle trace, quand je regorge
De toutes les virtualités possibles du crime
Et de mille façons puis les mettre à l'œuvre.
Diantre, si j'avais le pouvoir,
Je répandrais aux enfers ce lait délicieux, la concorde,
Je bouleverserais la paix universelle,
Je ruinerais toute unité sur terre.

MACDUFF

Écosse, pauvre Écosse !

MALCOLM

Si un tel homme est digne de régner,
Parle ! Je suis ce que j'ai dit.

MACDUFF

Digne de régner, non !
Et pas même de vivre ! Ô nation malheureuse,
Toi qu'un spectre sanglant et illégitime
Tyrannise, quand pourras-tu revoir tes jours de liesse
Si le plus authentique héritier du trône
S'accuse le premier et s'interdit de règne,
Et blasphème sa race ? Le roi ton père

Était un très saint prince ; la reine qui t'a porté,
Plus souvent à genoux que sur ses pieds,
Mourait d'humilité chacun de ses jours. Adieu donc !
Les horreurs sur toi-même que tu rapportes
M'ont déjà banni de l'Écosse... Mon pauvre cœur,
Ton espérance prend fin.

MALCOLM

Macduff ! Cette noble colère,
Fille de ton intégrité, balaie de mon âme
Tous mes sombres soupçons et réconcilie
Ma pensée à ta loyauté et à ton honneur.
Macbeth, le démoniaque,
A tenté si souvent par ses artifices
De me mettre sous son contrôle, que la prudence
La plus élémentaire m'interdit
De croire trop, et trop vite. Mais que ce soit le ciel
Qui maintenant nous rassemble ! Car je me place
Sous ta direction, désormais. Car je désavoue
Le mal que je t'ai dit de moi. Oui, je déclare
Que les souillures et les hontes dont tu m'as vu me couvrir
Sont étrangères à ma nature. Je suis encore
Ignorant de la femme ; le parjure
M'est inconnu. A peine si je convoite mon propre bien,
Et je n'ai jamais eu qu'une parole. Je ne livrerais pas
Le diable à son compère ; je n'ai pas moins plaisir
A dire vrai qu'à vivre. Mon seul mensonge
Fut celui-ci, contre moi. Et ce que je suis,
Vous pouvez l'employer, toi autant que ma pauvre terre
Vers laquelle, d'ailleurs, avant que tu n'arrives,
Le vieux Siward, avec dix mille hommes de guerre
Prêts au combat, allait se mettre en route.
Nous partirons ensemble ; et que le succès
Soit aussi grand que notre cause est juste... Vous vous taisez ?

MACDUFF

Tant d'inquiétants propos et tant de bonnes nouvelles,
C'est dur à concilier, dans une minute.

Entre un médecin.

MALCOLM

Eh bien, nous en reparlerons...
Le roi vient-il, s'il vous plaît ?

LE MÉDECIN

Oui, messire. Il y a là une foule de pauvres hères
Qui attendent de lui leur guérison.
Leur mal déjoue tous les efforts de l'art,
Mais que le roi, simplement, les effleure
Et si sainte est sa main qu'a bénie le ciel
Qu'ils vont mieux sur-le-champ.

MALCOLM

Merci, docteur.

Sort le médecin.

MACDUFF

De quelle maladie a-t-il parlé ?

MALCOLM

On l'appelle « le mal[26] », sans plus,
Et nous parlions de l'action, miraculeuse,
Que j'ai vu ce grand prince accomplir souvent
Depuis que je séjourne en Angleterre.
Comment il intercède auprès du ciel,
Lui seul le sait. Mais ces gens, si bizarrement atteints,
Si pitoyables à voir sous le gonflement et l'ulcère,
Ces cas désespérés pour le chirurgien, c'est un fait
Qu'en leur pendant au cou une pièce d'or

Il les sauve, par ses prières. Le bruit court
Qu'il transmettra ce pouvoir de guérir
A tous ses descendants. Et à cette vertu
Étrange, il en ajoute une autre, aussi divine,
Qui est le don de prophétie... Que de bénédictions
Parent son trône ! Qu'elles proclament clair son état de grâce !

Entre Ross.

MACDUFF

Mais qui voilà !

MALCOLM

Un de notre pays ; mais inconnu de moi.

MACDUFF

C'est mon cousin, mon noble cousin.
Soyez le bienvenu !

MALCOLM

Je le reconnais à présent. Grand Dieu, délivre-nous vite
De ce temps qui nous rend étrangers l'un à l'autre !

ROSS

Amen ! Je vous salue, messire.

MACDUFF

L'Écosse en est-elle toujours au même point ?

ROSS

Ah, malheureux pays,
Presque effrayé de se reconnaître ! Peut-on encore
L'appeler notre mère, c'est notre tombe ! On n'y rencontre
Rien qui sourie, sinon qui ne sait rien.

Et les soupirs, les gémissements, les cris qui déchirent l'air,
Nul n'y fait plus attention ; l'extrême de la douleur
Y est le lot de tous ; sonne le glas des morts
Sans qu'on demande, ou presque, pour qui il sonne,
Et s'achève la vie des honnêtes gens
Avant celle des fleurs de leur bonnet :
On les voit morts avant qu'ils ne soient malades.

MACDUFF

Rapport trop bien tourné,
Mais qui n'est que trop véridique.

MALCOLM

Quel est le dernier malheur ?

ROSS

Celui d'il y a une heure, c'est déjà vieux,
On siffle qui le rapporte. Chaque minute
En accouche d'un autre.

MACDUFF

Ma femme, comment va-t-elle ?

ROSS

Votre femme ? Bien.

MACDUFF

Et tous mes enfants ?

ROSS

Vos enfants ? Bien, bien.

MACDUFF

Le tyran n'a rien entrepris contre leur quiétude ?

ROSS

Non... Je les ai laissés tout à fait tranquilles.

MACDUFF

Ne soyez pas avare de vos paroles ! Qu'y a-t-il ?

ROSS

Comme je venais en ce lieu pour vous faire part de nouvelles
Qui me sont un pesant fardeau, j'ai entendu dire
Que force gens de bien tiennent la campagne,
Ce que j'ai cru, d'autant que je pouvais voir
Les troupes du tyran sur pied de guerre.
Sire, c'est le moment d'intervenir. Votre seul regard en Écosse
Ferait naître des hommes d'armes, ferait combattre nos femmes.
Tous veulent en finir avec leur atroce infortune.

MALCOLM

Nous venons, que ce soit leur réconfort !
Le saint roi d'Angleterre nous a prêté
Le valeureux Siward avec dix mille hommes.
De meilleur soldat, de plus éprouvé,
Il n'en est pas sur terre chrétienne.

ROSS

Que je voudrais pouvoir vous réconforter à mon tour !
Mais j'ai des paroles à dire
Qui devraient être hurlées dans le désert,
Hors de portée des oreilles.

MACDUFF

C'est à propos de quoi ?
De la cause commune ? Ou est-ce un deuil personnel,
Qu'on ne peut délivrer qu'à un seul cœur ?

ROSS

Il n'est pas d'âme sensible qui n'y compatirait,
Mais le plus lourd de la souffrance
Sera pour vous, pour vous seul.

MACDUFF

Si c'est pour moi,
Ne le cèle pas davantage, dis-le-moi vite.

ROSS

Que vos oreilles
N'en veuillent pas, pour l'éternité, à ma langue
Qui va leur infliger le son le plus douloureux
Qu'elles aient jamais entendu.

MACDUFF

Ah, je crois deviner.

ROSS

Votre château, ils l'ont pris par surprise.
Votre femme, vos chers petits,
Ils les ont massacrés, sauvagement. Vous dire le détail
Serait, à la curée de ces pauvres cerfs,
Ajouter ton cadavre.

MALCOLM

Pitié du ciel ! Ah, mon ami,
Ne baisse pas ton chapeau sur ton front,
Donne des mots à ta peine ! Le chagrin qui ne parle pas
Murmure de se rompre au cœur accablé.

MACDUFF

Et mes enfants aussi ?

ROSS

Tous ceux qu'ils ont trouvés.

MACDUFF

Et il fallait que je ne sois pas là !
Ma femme aussi, tuée ?

ROSS

Je vous l'ai dit.

MALCOLM

Courage !
Pour nous guérir de ce chagrin mortel,
La médecine est vengeance.

MACDUFF

Ah, il n'a pas d'enfants... Tous mes beaux petits ?
Vous avez bien dit tous ? Tous ? Vautour infernal !
Quoi ? Tous mes gentils poussins et leur mère,
Fauchés d'un coup ?

MALCOLM

Prends cela comme un homme.

MACDUFF

Je le ferai !
Mais j'ai aussi à le ressentir comme un homme.
Je ne puis pas ne pas me souvenir
Qu'ils existaient, qu'ils furent tout mon bien.
Le ciel regarda-t-il, sans les défendre ?
Ô coupable Macduff,
C'est à cause de toi qu'ils furent frappés.
Tu es pervers, c'est pour tes démérites

Et non les leurs qu'on les a massacrés.
Mais que le ciel maintenant donne repos à leurs âmes !

MALCOLM

Aiguise ton épée sur cette pierre.
Fais du chagrin ta violence.
N'émousse pas ton courage, enfièvre-le !

MACDUFF

Oh, je pourrais en faire étalage à coups de mots,
Autant qu'avec mes larmes singer la femme !
Mais plutôt, ô cieux justes,
Abrégez toute attente, placez ce démon de l'Écosse
Là, en face de moi, à longueur d'épée.
Car alors, s'il m'échappe,
Que le ciel lui pardonne, à lui le premier !

MALCOLM

Ce sont là des paroles d'homme...
Allons trouver le roi, notre armée est prête.
Il ne nous reste plus qu'à prendre congé.
Macbeth est un fruit mûr, et les puissances célestes
Ont préparé leur gaule... Toi, si tu peux,
Accepte notre secours,
Car trop longue est la nuit qui cherche en vain le jour.

Ils sortent.

ACTE V

Scène I

Dunsinane. Une chambre du château.

Entrent un médecin et une dame de compagnie.

LE MÉDECIN

Voici deux nuits que je veille, à côté de vous, mais je n'ai pu constater encore le bien-fondé de votre rapport. Quand s'est-elle ainsi promenée, la dernière fois ?

LA DAME

Depuis que Sa Majesté le roi s'est mis en campagne... J'ai vu la reine quitter son lit, jeter sa robe de chambre sur ses épaules, ouvrir son secrétaire, y prendre une feuille de papier, la plier, écrire quelque chose dessus, et relire puis cacheter cette lettre avant de retourner se coucher. Mais tout cela dans le plus profond des sommeils.

LE MÉDECIN

La nature est extrêmement troublée quand elle peut ainsi, en un même instant, recevoir le bien du sommeil et accomplir des actions de l'état de veille. Dites-moi : dans cette activité somnambule, outre la marche et ces autres actes que vous avez constatés, l'avez-vous entendue dire certaines choses à un moment ou un autre ?

LA DAME

Oui, monsieur, mais je ne les répéterai pas.

LE MÉDECIN

A moi vous le pouvez, et c'est même très souhaitable.

LA DAME

Ni à vous ni à personne, car je n'ai pas de témoins pour confirmer mes paroles.

Entre lady Macbeth, tenant un flambeau.

... Mais, tenez, la voici ! Exactement comme les autres fois ; et, j'en gage ma vie, profondément endormie. Observez-la, mais restons cachés.

LE MÉDECIN

Mais comment se fait-il qu'elle ait ce flambeau ?

LA DAME

C'est parce qu'il brûle à son chevet. Elle a sans cesse de la lumière auprès d'elle, ce sont ses ordres.

LE MÉDECIN

Voyez, ses yeux sont ouverts.

LA DAME

Oui, mais fermés à la perception

LE MÉDECIN

Et maintenant, que fait-elle ? Regardez comme elle frotte ses mains !

LA DAME

Cela lui est tout à fait habituel, cette apparence de se laver les mains. Je l'ai vue le faire sans s'arrêter pendant un quart d'heure

LADY MACBETH

Et là, encore une tache

LE MÉDECIN

Écoutez ! Elle parle. Je vais noter ce qu'elle va dire pour mieux assurer ma mémoire.

LADY MACBETH

Disparais, maudite tache, disparais, te dis-je ! Un, deux... Bien, c'est le moment pour agir. L'enfer, que c'est ténébreux ! Fi, monseigneur, fi ! Un soldat, et avoir peur ?... Pourquoi aurions-nous peur de qui saurait quelque chose, puisque personne n'a droit de nous demander des comptes ? Tout de même, qui aurait pu penser que le vieil homme avait en lui tant de sang ?

LE MÉDECIN

Vous avez entendu ?

LADY MACBETH

Le seigneur de Fife avait une femme ; et maintenant, où est-elle ? Ah, ces mains ne seront-elles donc jamais propres ? Suffit, monseigneur, suffit ! Vous allez tout gâter avec cette agitation.

LE MÉDECIN

Ah, diable, diable ! Vous avez su ce que vous ne devriez pas savoir !

LA DAME

Elle a dit ce qu'elle ne devrait pas dire, ça j'en suis sûre. Et Dieu sait ce qu'elle sait, elle !

LADY MACBETH

Encore cette odeur de sang ! Tous les parfums de l'Arabie ne purifieront pas cette petite main. Oh ! Oh ! Oh !

LE MÉDECIN

Quel soupir ! Quel poids elle a sur le cœur !

LA DAME

Je n'en voudrais pas d'un semblable sur ma poitrine, dans l'intérêt du reste du corps.

LE MÉDECIN

Bien, bien, bien...

LA DAME

Dieu veuille que ce soit bien, monsieur.

LE MÉDECIN

Cette maladie excède mon expérience. Pourtant j'en ai connu, qui marchaient ainsi en dormant, et qui moururent très saintement dans leur lit.

LADY MACBETH

Lavez-vous les mains, mettez votre robe de chambre, et ne soyez pas livide comme cela — Banquo est enterré, faut-il vous le dire encore, il ne va pas sortir de sa tombe.

LE MÉDECIN

Cela aussi ?

LADY MACBETH

Au lit, au lit ! Voici qu'on frappe à la grande porte. Allons, venez, venez, venez, donnez-moi votre main. Ce qui est fait, rien ne pourra le défaire. Au lit, au lit, au lit !

Elle sort.

LE MÉDECIN

Va-t-elle au lit, maintenant ?

LA DAME

Directement.

LE MÉDECIN

On murmure d'horribles choses. Et des actes contre nature
Engendrent, c'est certain, des troubles semblables.
C'est à leur oreiller, puisqu'il est sourd,
Que confient leurs secrets les âmes malades.
Plus que d'un médecin celle-ci a besoin d'un prêtre.
Ah, que Dieu nous pardonne à tous ! Veillez sur elle,
Évitez-lui tout moyen de se nuire,
Ne la quittez pas du regard. Bonne nuit quand même !
Elle a déconcerté mes yeux, stupéfié mon âme,
J'ai des pensées, mais je n'ose les dire.

LA DAME

Bonne nuit, bon docteur.

Ils sortent.

Scène II

La campagne à proximité de Dunsinane.

Entrent, avec tambours et drapeaux, MENTEITH, CAITHNESS, ANGUS, LENNOX *et des soldats.*

MENTEITH

La force anglaise est proche, que Malcolm mène
Avec son oncle Siward[27] et le valeureux Macduff.
Ils brûlent de se venger, et c'est vrai qu'ils ont des motifs
A faire se lever les morts pour le clairon et la charge.

ANGUS

Auprès de la forêt de Birnam
Nous les rencontrerons : c'est par là qu'ils viennent.

CAITHNESS

Sait-on si Donalbain est avec son frère ?

LENNOX

Sûrement pas, monsieur. J'ai là une liste
De tous les gentilshommes. Parmi eux le fils de Siward
Et nombre de jeunes gens encore sans barbe
Qui vont prouver bientôt leur virilité.

MENTEITH

Et que fait le tyran ?

CAITHNESS

Il fortifie solidement le vaste Dunsinane.
D'aucuns le disent fou. D'autres, qui le haïssent moins,
Parlent d'une vaillance exacerbée : ce qui est sûr,
C'est qu'il ne peut boucler sur son mal qui s'accroît
Le ceinturon d'une règle.

ANGUS

Comme il sent maintenant
Tous ses meurtres cachés lui coller aux doigts !
Sans cesse des révoltes lui reprochent sa félonie.
Ceux qu'il contrôle encore
Marchent sous la contrainte et non par amour.
Son titre souverain, il le voit qui pend
Piteusement sur son corps
Comme le manteau d'un géant sur le nain qui l'a dérobé.

MENTEITH

Qui pourrait donc blâmer ses esprits troublés
De tressaillir comme le cheval bronche ?
Tout ce qui vit en son sein le condamne
De simplement exister.

CAITHNESS

Bien. Poursuivons notre route.
Allons à qui a droit à notre allégeance,
Aidons qui vient soigner la communauté malade,
Soyons prêts à répandre, à ses côtés,
Tout notre sang pour purger notre terre.

LENNOX

Ou ce qu'il en faut, tout au moins,
Pour arroser la fleur et noyer la ronce.
En marche, vers le bois de Birnam.

Ils sortent, en ordre de marche.

Scène III

Dunsinane. Une salle du château.

Entrent MACBETH, *le médecin et des serviteurs.*

MACBETH

Qu'ils s'enfuient tous ! Ne m'en dites plus les nouvelles !
Tant que le bois de Birnam ne vient pas jusqu'à Dunsinane
La peur ne m'infectera pas. Qu'est-ce que Malcolm, ce gamin ?
N'est-il pas né d'une femme ? Les démons, qui connaissent bien
Tous les enchaînements terrestres, m'en assurent :
« Sois sans crainte, Macbeth : aucun homme né d'une femme
Ne peut te faire tort. » Enfuyez-vous donc, mes barons perfides,
Courez frayer avec les épicuriens d'Angleterre !
L'esprit qui me conduit ne fléchira pas sous le doute,
Le cœur qui est en moi ne tremblera pas.

Entre un serviteur.

Le diable te noircisse, face de crème !
Où as-tu pris cette couleur d'oie ?

LE SERVITEUR

Il y a dix mille...

MACBETH

Petites oies, coquin ?

LE SERVITEUR

Soldats, messire.

MACBETH

Va te griffer la figure pour couvrir de rouge ta peur,
Morpion au foie livide comme le lys !
Quels sont ces soldats, dis-moi, petit clown ?
Mort de mon âme ! D'être blanches comme le linge,
Tes joues répandent la peur. Quels, quels soldats,
Face de lait caillé ?

LE SERVITEUR

L'armée d'Angleterre, ne vous déplaise.

MACBETH

Sors-moi ta face d'ici.

Sort le serviteur.

Seton !... J'en suis malade,
De voir... Eh bien, Seton !... Ce nouveau coup
Va pour l'éternité me remettre en selle
Ou, sur-le-champ, me jeter à bas. — J'ai vécu
Bien assez. Le cours de ma vie
Tourne au flétrissement, à la feuille sèche.
Et tout ce qui devrait venir au grand âge,
Honneur, amour, respect, amitiés nombreuses,
Je ne puis y compter, bien sûr et à la place
Ce seront les malédictions, oh, à voix basse mais bien senties,
Et l'hommage du bout des lèvres, le pauvre souffle
Que le cœur voudrait refuser, mais il n'ose pas.
Seton !

Entre Seton.

SETON

Quel est votre bon plaisir ?

MACBETH

A-t-on d'autres nouvelles ?

SETON

Confirmation, monseigneur, des premiers rapports.

MACBETH

Je combattrai, tant qu'os et chairs tiendront ensemble.
Donne-moi mon armure.

SETON

Vous avez encore le temps.

MACBETH

Je veux la mettre.
Dépêchez d'autres cavaliers, qu'ils fouillent la campagne,
Faites pendre ceux qui paniquent. Mon armure...
Ah, docteur, comment va votre patiente ?

LE MÉDECIN

Monseigneur, elle est moins atteinte
Que troublée d'une foule de hantises
Qui la privent de tout repos.

MACBETH

Guéris-la de cela !
Ne peux-tu donc soigner l'esprit malade,
Extirper le chagrin de la mémoire,
Effacer ce qu'écrit la démence sur le cerveau,
Et grâce à quelque bon antidote dispensateur d'oubli
Purger le sein gonflé de cette dangereuse surcharge
Qui pèse sur le cœur ?

LE MÉDECIN

C'est au malade, dans ces cas-là,
De prendre soin de lui-même.

MACBETH

Jette ta médecine aux chiens, je n'en veux pas.
Allons, qu'on me revête de mon armure !
Apportez-moi mon bâton de commandement[28].
Seton, dépêche ces éclaireurs.
Ah, docteur, les barons me filent d'entre les doigts...
Vite, monsieur, faites vite !... Docteur, si vous pouviez
Analyser l'urine du royaume,
Trouver son mal, et lui rendre sa claire santé première,
Je vous applaudirais à forcer l'écho
A battre des mains lui-même... Ôte-le, te dis-je !
Mais quel purgatif, dites-moi, quel séné ou quelle rhubarbe
Nous débarrasserait de ces troupes anglaises ?
En as-tu entendu parler ?

LE MÉDECIN

Ma foi, mon suzerain, les préparatifs
De Votre Majesté nous en font prendre conscience.

MACBETH

Porte-la à ma suite.
Je ne craindrai la mort et l'écroulement de mon règne
Que quand le bois de Birnam marchera sur Dunsinane.

Il sort. Seton le suit.

LE MÉDECIN, *à part.*

Ah, si je me tire de Dunsinane,
Pas de rêve de gain qui m'y ramène !

Il sort.

Scène IV

La campagne près de Birnam. Le bois en vue.

Entrent, avec tambours et drapeaux, MALCOLM, *le vieux* SIWARD *et son fils,* MACDUFF, MENTEITH, CAITHNESS, ANGUS, LENNOX, ROSS, *et des soldats en colonnes de marche.*

MALCOLM

Mes cousins, j'espère que les jours sont proches
Où l'on pourra dormir sans risquer sa vie.

MENTEITH

N'en doutons pas !

SIWARD

Qu'est-ce que ce bois devant nous ?

MENTEITH

C'est le bois de Birnam.

MALCOLM

Que chaque soldat se taille une branche
Pour la porter devant lui. Ce sera mettre à couvert
Le montant de nos effectifs. Et les avant-postes adverses
Seront induits en erreur.

UN SOLDAT

Ce sera fait.

SIWARD

Tout ce qu'on a appris, c'est que le tyran,
Plein d'assurance, s'enferme dans Dunsinane
Pour se laisser assiéger.

MALCOLM

C'est son meilleur espoir,
Car à la moindre occasion de fuite, déjà,
Petits et grands ont choisi la révolte
Et nul des siens ne sert que sous la contrainte.
Ce sont des corps dont le cœur se refuse.

MACDUFF

Ces appréciations qui semblent fondées,
Soumettons-les à l'épreuve des faits.
Et faisons avec zèle notre métier de soldat.

SIWARD

Oui, l'heure approche
Qui va trancher en toute netteté
De ce que nous disons avoir et de nos dettes possibles.
La pensée qui spécule ne réfère qu'à l'espoir vague.
Aux armes de décider ce qui doit vraiment advenir.
C'est à cela que mène la bataille.

Ils sortent, en formation de combat.

Scène V

Dunsinane. La cour du château.

Entrent, avec tambours et drapeaux, MACBETH, SETON, *des soldats.*

MACBETH

Déployez nos drapeaux sur les murs d'enceinte,
Le cri de guerre est toujours : « Qu'ils viennent ! »
La force du château
Se gaussera d'un siège. Qu'ils campent là
Jusqu'à ce que la fièvre et la faim les mangent !
S'ils n'étaient renforcés d'aucuns qui devraient être des nôtres
Nous n'aurions pas hésité à les affronter, barbe contre barbe,
Et les aurions renvoyés chez eux sous une grêle de coups.

Cris de femmes dans le château.

Quel est ce bruit ?

SETON

Des femmes qui crient, monseigneur.

Il sort.

MACBETH, *à part.*

J'ai donc presque oublié le goût de la peur.
Il fut un temps où mes sens se seraient glacés
A un cri dans la nuit ; où mon cuir chevelu
Se serait hérissé au moindre conte lugubre

Comme s'il eût été la réalité.
Mais j'ai eu mon saoul de l'horreur.
L'atroce est familier à mes pensées meurtrières
Et ne me fait plus tressaillir.

Seton revient.

Pourquoi a-t-on crié ?

SETON

La reine, monseigneur ! Elle est morte

MACBETH

Elle aurait dû mourir en un autre temps,
Un où pour ce grand mot, la mort, il y aurait place.
Hélas, demain, demain, demain, demain
Se faufile à pas de souris de jour en jour
Jusqu'aux derniers échos de la mémoire
Et tous nos « hiers » n'ont fait qu'éclairer les fous
Sur le chemin de l'ultime poussière.
Éteins-toi, brève lampe !
La vie n'est qu'une ombre qui passe, un pauvre acteur
Qui s'agite et parade une heure, sur la scène,
Puis on ne l'entend plus. C'est un récit
Plein de bruit, de fureur, qu'un idiot raconte
Et qui n'a pas de sens.

Entre un messager.

Tu viens pour employer ta langue, fais-le vite !

LE MESSAGER

Mon noble souverain,
Je devrais rapporter ce que, ah, j'en suis sûr,
J'ai vu ; mais je ne sais comment le faire.

MACBETH

Allons, monsieur, parlez.

LE MESSAGER

C'était pendant ma garde, sur la colline.
Je regardais Birnam. Et tout d'un coup,
Il m'a paru que la forêt bougeait.

MACBETH

Menteur, esclave !

LE MESSAGER

Si c'est faux, que j'endure votre colère !
Vous la verrez qui vient, à moins de trois milles d'ici.
Je vous le dis : c'est un bois qui marche !

MACBETH

Si tu mens,
A l'arbre le plus proche on te suspendra haut et vif,
Et que la faim t'y dessèche ! Mais si tes paroles sont vraies,
Fais-m'en autant, je m'en moque.
Ah, je refrène ma présomption, je commence
A soupçonner les finasseries du démon,
Et qu'il ment sous une ombre de vérité.
« Ne crains rien tant que le bois de Birnam
Ne marche sur Dunsinane »... Oui, mais, maintenant, c'est un bois
Qui approche de Dunsinane... Aux armes, aux armes !
Faisons une sortie !
Si ce qu'on me dit se confirme, il est aussi vain
De fuir ce lieu que de s'y retrancher,
Mais je commence à être las du soleil ; je voudrais
Que l'immense univers s'écroule...

Sonnez la cloche d'alarme ! Souffle, vent !
Naufrage, gonfle tes eaux ;
Mourons au moins l'armure sur le dos.

Ils sortent.

Scène VI

Dunsinane. Devant le château.

Tambours et oriflammes. Entrent MALCOLM, *le vieux* SIWARD, MACDUFF *et leur armée, qui porte des branches.*

MALCOLM

Nous voici assez près. Jetez vos écrans de feuilles,
Et montrez qui vous êtes. Vous, mon valeureux oncle,
Commandez la première ligne avec votre fils,
Notre très noble cousin. Le vaillant Macduff et moi-même
Nous nous chargeons du reste de l'affaire
Selon le plan de bataille.

SIWARD

Bonne chance !
Pour peu que nous trouvions avant ce soir
Les forces du tyran, soyons vaincus
Si nous ne pouvons pas les faire se battre.

MACDUFF

Faites sonner toutes les trompettes ! Tout votre souffle
Pour ces sonores messagères du sang et de la mort.

Ils sortent, pendant que les trompettes sonnent.

Scène VII

Une autre partie du champ de bataille.

MACBETH *sort du château.*

MACBETH

Ils m'ont lié au poteau. Je ne puis m'enfuir,
Mais comme l'ours je dois tenir tête à la meute
Le temps qu'il faut. Qui peut être cet homme
Qui n'est pas né d'une femme ? C'est celui-là
Que je dois craindre, et nul autre.

Entre le jeune Siward.

LE JEUNE SIWARD

Quel est ton nom ?

MACBETH

Tu tremblerais de l'entendre !

LE JEUNE SIWARD

Jamais ! Me dirais-tu un nom de flamme plus rouge
Que tous ceux de l'enfer ?

MACBETH

Je me nomme Macbeth.

LE JEUNE SIWARD

Certes, le diable même ne peut me dire
Un nom que je haïsse plus.

MACBETH

Que tu redoutes plus !

LE JEUNE SIWARD

Tu mens, tyran exécré ; de mon glaive,
Je vais t'en donner la preuve.

Ils combattent. Le jeune Siward est tué.

MACBETH

Tu étais né d'une femme.
Et je puis rire des glaives, je puis me gausser des armes
Que lèvent contre moi ceux qui sont nés d'une femme.

Il sort. Sonnerie.
Entre Macduff.

MACDUFF

Le bruit venait de là. Tyran, montre ta face !
Si tu es tué sans rien souffrir de moi
Le spectre de ma femme et de mes enfants
Me hantera toujours... Je ne puis me résoudre
A pourfendre ces pauvres diables d'Irlandais
Qui se louent pour combattre ; c'est toi que je veux,
Macbeth,
Sinon je rengainerai sans gloire
Mon épée sans ébrèchement. Or, c'est ici
Que tu aurais dû être : car ce grand bruit
Semblait clamer quelqu'un du rang le plus haut.
Fortune, laisse-moi le débusquer,
Je ne demande rien d'autre.

Il sort. Sonneries.
Entrent Malcolm et le vieux Siward.

SIWARD

Par ici, monseigneur !
Le château s'est rendu sans résistance.
On s'attaque au despote dans les deux camps
Et les nobles barons combattent avec bravoure.
La journée est à vous, ou presque. Peu reste à faire.

MALCOLM

Oui, nous en avons vu, chez l'ennemi,
Qui, exprès, visaient mal.

SIWARD

Entrez dans le château, messire.

Ils sortent. Sonneries.

Scène VIII

Une autre partie du champ de bataille.

Entre MACBETH.

MACBETH

Pourquoi devrais-je faire comme ces sots de Romains
Et mourir empalé sur mon propre glaive ?
Tant que je vois de ces gens, que je les pourfende !
Les plaies leur vont mieux qu'à moi.

Rentre Macduff.

MACDUFF

Retourne-toi, chien d'enfer !

MACBETH

Parmi eux tous je t'avais évité.
Retire-toi ! Mon âme
Est déjà trop gluante de ton sang.

MACDUFF

Je n'ai rien à te dire.
Ma parole, c'est mon épée, brute plus sanglante
Qu'aucun mot ne peut l'exprimer.

MACBETH

Tu perds ta peine !
Aussi facilement pourrais-tu marquer
De ton glaive tranchant l'air impalpable
Qu'égratigner ma peau. Laisse donc choir
Ton épée sur des casques plus vulnérables,
Moi, je vis sous un charme, et ne céderai
A quiconque est né de la femme.

MACDUFF

Désespères-en, de ton charme !
Et qu'il t'apprenne cela, le Mauvais Ange
Dont tu fus le valet : Macduff
Fut extrait du sein maternel avant le terme.

MACBETH

Maudite soit la langue qui me l'annonce !
Elle accouardit le meilleur de mon être.
Et qu'on cesse de croire à ces démons bateleurs
Qui abusent de nous par des doubles sens,
Nous soufflant à l'oreille un mot, une promesse,
Mais le tordant, pour frustrer notre espoir.
Je ne me bats pas avec toi.

MACDUFF

Alors, lâche, rends-toi !
Vis pour être montré au siècle en spectacle.
Nous mettrons ton image au plus haut d'un mât
Comme on fait pour nos monstres les plus rares,
Avec ces mots : « Voyez là le tyran ! »

MACBETH

Pas question de me rendre
Pour baiser la poussière aux pieds du jeune Malcolm,
Ou souffrir l'anathème de la canaille !
Bien que le bois de Birnam soit venu jusqu'à Dunsinane,
Et que je t'aie à combattre, toi qui n'es pas né d'une femme,
Je vais tenter ma chance suprême. Devant mon corps
J'élève mon bouclier de guerre. Frappe, Macduff,
Damné soit le premier qui implore merci !

Ils combattent. Macbeth est tué.

Scène IX

Dans le château.

Retraite, fanfares. Entrent, avec tambours et drapeaux, MALCOLM, *le vieux* SIWARD, ROSS, *des barons, des soldats.*

MALCOLM

Que je voudrais qu'arrivent sains et saufs
Nos amis qui manquent encore !

SIWARD

Quelques-uns ont bien dû quitter la scène,
Mais à juger par ceux que j'aperçois
Un si grand jour n'a pas coûté trop cher.

MALCOLM

Macduff manque, et votre noble fils.

ROSS

Votre fils, monseigneur, a payé en soldat sa dette,
Il vécut seulement pour devenir un homme,
Et dès qu'il l'eut prouvé par sa vaillance
En combattant comme il le fit, sans reculer,
C'est en homme aussi qu'il est mort.

SIWARD

Il est mort, dites-vous ?

ROSS

Oui, mort et emporté du champ de bataille. Votre chagrin
Ne doit pas s'apparier à sa valeur,
Car il serait sans limite.

SIWARD

Avait-il ses blessures par devant ?

ROSS

Oui, en plein front.

SIWARD

Eh bien, qu'il soit le soldat de Dieu, maintenant !
Aurais-je autant de fils que j'ai de cheveux[29],
Je ne leur voudrais pas de plus belle fin.
Voici sonné son glas.

MALCOLM

Il mérite plus de regrets,
Et j'en aurai pour lui.

SIWARD

Non, il n'en vaut pas plus.
On me dit qu'il est mort comme il le devait,
En payant son écot. Dieu l'ait donc en sa garde !
Et voici un autre motif de réconfort...

Entre Macduff, avec la tête de Macbeth.

MACDUFF

Salut, roi ! Car tu es le roi ! Regarde
Où tangue[30] de l'usurpateur la tête maudite !
Voici le temps d'être libres ! Et je te vois
Le front ceint des joyaux de ton royaume,
Qui comme moi t'acclament, du fond du cœur.
Je souhaite que leurs voix s'élèvent dans la mienne.
Salut, ô roi d'Écosse !

TOUS

Salut, ô roi d'Écosse !

Fanfares.

MALCOLM

Nous ne laisserons pas s'écouler long temps
Avant de mesurer de chacun de vous
Le soutien affectueux, et d'en payer la dette.
Mes barons, mes proches parents,
Soyez désormais comtes, les premiers
Que jamais souverain d'Écosse ait honorés de ce titre.
Pour ce qu'il reste à faire, pour ce qu'il faut
Planter à neuf comme le veut l'époque,
— Ainsi, de l'étranger, rappeler d'exil

Ceux qui ont fui les pièges de la tyrannie vigilante,
Ou démasquer les ministres cruels
De ce boucher que voici mort et de son âme damnée,
La reine, qui, semble-t-il, tourna sa violence
Contre sa propre vie, — cela, comme le reste
De ce que la nécessité nous demandera,
Nous le ferons, par la grâce divine,
En temps et lieu utiles, et par degrés.
Merci encore, merci à chacun de vous et à tous !
Et nous vous invitons à nous voir couronner à Scone.

Fanfares. Ils sortent.

NOTES DU TRADUCTEUR

Roméo et Juliette

Cette traduction a été faite sur le texte établi par John Dover Wilson pour *The New Shakespeare,* Cambridge University Press, 1955. Mais compte a été tenu de diverses leçons ou interprétations proposées par *The Arden Shakespeare* — Brian Gibbons, 1980 — et *The Riverside Shakespeare,* 1974. C'est le second Quarto, de 1599, qui sert de base à ces éditions, non sans emprunts cependant au « mauvais » Quarto de 1597. La division en actes et scènes ne figurait pas dans les éditions anciennes.

On s'accorde aujourd'hui à penser que *Roméo et Juliette* a été écrit en 1594 ou plus vraisemblablement encore en 1595. L'œuvre a pour source une nouvelle de Bandello (1559) qui fut traduite en français par Pierre Boiastuau en 1559, puis du français en anglais par le poète Arthur Brooke (*The Tragical History of Romeus and Juliet,* 1562, que Shakespeare a certainement lu dans sa deuxième édition, 1587). Le second Quarto donne pour titre à la pièce *The Most Excellent and Lamentable Tragedy of Romeo and Juliet.*

J'ai fait à l'occasion de cette réédition de *Roméo et Juliette* dans la collection Folio d'assez nombreuses corrections à ma première version, publiée au Mercure de France en 1968. Mais je ne tenterai pas de justifier la façon dont j'ai essayé de rendre en une autre langue les jeux sur les mots qui sont, dans le texte original, innombrables : il y faudrait tout un livre.

Page 31.

1. *Entre le prince Escalus.* A l'époque où Bandello place l'histoire de Roméo et Juliette, c'est en effet un Bartolommeo della Scala qui tenait Vérone.

Page 32.

2. *Notre vieux Villefranche.* Un emprunt de Shakespeare à Brooke, sauf que chez celui-ci Freetown est le château des Capulet. Shakespeare a diminué l'importance des deux familles rivales, peut-être pour grandir le rôle du prince, dont deux parents sont Mercutio et le comte Paris.

Page 33.

3. Le sycomore semble associé au chagrin d'amour dans le monde shakespearien (cf. *Othello,* IV, III) ou même élisabéthain. C'est sans doute à cause d'un jeu de mots : *sickamour* (*sick :* malade).

Page 48.

4. *Il est fait au moule. He's a man of wax,* dit la nourrice : il a la beauté d'une figure de cire (mais n'a peut-être pas plus de vie).

Page 53.

5. Le besoin de traduire le jeu de mots *(that dreamers often lie)* va à l'encontre du sens qui s'y glisse en anglais : les rêveurs mentent.

6. On suppose généralement que cette reine Mab est une invention de Shakespeare. Mab est un *nom* de « souillon », et souillon se dit en anglais *slut* mais aussi *quean* (ou on peut entendre *queen,* la reine).

Page 61.

7. *Paume contre paume.* Les pèlerins qui avaient visité le Saint-Sépulcre, à Jérusalem, portaient à l'origine une palme pour l'indiquer. Or, Roméo, en italien, a signifié, à partir de l'idée de Rome, le pèlerin, et plus précisément cette sorte de porteur de palme. D'où le jeu de mots sur *palm,* qui est à la fois la paume de la main et la palme.

Il faut remarquer, ceci dit, que Roméo a commencé à parler à Juliette dans ce qui, de par sa réponse et toute la suite de leur échange, devient un sonnet. La métaphore du pèlerin d'amour est la dominante de ce poème, ce qui lui assure son être propre, lequel isole les deux jeunes gens de la société qui les environne.

Page 67.

8. Il ne faut pas s'inquiéter dans le texte anglais du bizarre *Abraham Cupid.* On appelait *abraham man* un mendiant qui battait la campagne demi-nu, ramassant ou volant ce qui lui tombait sous la main. — Le « roi Cophétue », c'est une allusion à une vieille ballade, citée plusieurs fois par Shakespeare.

Page 76.

9. *Mon faucon. My nyas,* dit le texte, corrigé par Dover Wilson. Il s'agit d'un tout jeune faucon, encore au nid comme en somme l'est elle-même Juliette. Roméo vient d'être appelé « faucon pèlerin » par celle-ci.

Page 78.

10. L'édition Arden, que je n'ai pas suivie sur ce point, place là les quatre premiers vers de la scène suivante.

Page 84.

11. *Le Roi des chats.* Allusion au *Roman de Renard* (*Reynard the Fox,* où le prince des chats s'appelle Tybert).

Page 91.

12. *Un pâté de carême.* C'est-à-dire sans viande ? Mais plus probablement un pâté de lapin mangé en cachette pendant le carême : mangé à la dérobée et donc par petits bouts, lentement, d'où pour finir cette moisissure.

Page 114.

13. Le *fugitif* (*runaway*) a fait couler beaucoup d'encre : vingt-huit pages de notes par exemple dans l'édition Furness *(The New Variorum Edition of Shakespeare),* 1871. Il se peut que le texte soit corrompu. On peut aussi concevoir que le fugitif, c'est Phaéton, et avec lui le soleil dont le départ — le sommeil — va favoriser la venue de Roméo. Plutôt cependant préserver l'obscurité du passage que de privilégier une interprétation extrêmement incertaine.

Page 142.

14. *Aussi amoureux.* Pour traduire les connotations sexuelles attachées à l'idée de l'œil « vert ».

Page 169.

15. *Le souverain de mon cœur :* l'amour

Macbeth

Cette traduction de *Macbeth* a été faite à l'aide des éditions qu'ont procurées Horace Howard Furness, Jr, en 1873 (*The New Variorum*

Edition of Shakespeare, nouvelle édition, Dover Books, 1963), John Dover Wilson (*The New Shakespeare,* Cambridge University Press, Cambridge, 1947) et Kenneth Muir (*The Arden Shakespeare,* Harvard University Press, Cambridge, Mass., 1951).

Ces éditions s'appuient sur le *First Folio,* de 1623, première impression qui, elle, utilisa vraisemblablement une copie de souffleur. Dans le Folio, *Macbeth* suit *Jules César,* précède *Hamlet.* Comme l'œuvre y apparaît nettement plus courte que la grande majorité des pièces de Shakespeare, on la suppose le plus souvent abrégée, et on s'accorde aussi à y reconnaître deux interpolations importantes, les scènes des sorcières aux IIIe et IVe actes, qu'on attribue à Thomas Middleton. Moins sûr est-il que les vers 140-155 de la scène III de l'acte IV (« Le roi vient-il, s'il vous plaît ? », etc.) aient été ajoutés au texte de Shakespeare pour plaire à Jacques Ier : le Folio ayant sans doute été publié à l'occasion de représentations à la Cour.

La première représentation que l'on sache avait eu lieu en 1611 au Globe, le théâtre de Shakespeare. Mais des allusions antérieures permettent de dater *Macbeth* de 1606, d'autant qu'on y rencontre au moins deux passages qui semblent se référer à des événements de cette époque précise : la Conspiration des Poudres (1605) et le procès du père Henry Garnet (1606). Cf. ci-après la note 14.

Quant à la source de *Macbeth,* ce sont les *Chroniques* de Holinshed (*Chronicles of England, Scotland and Ireland,* 1577), qui ont aussi donné à Shakespeare l'idée du *Roi Lear.* Mais le dramaturge n'a pas hésité à fondre deux récits du chroniqueur : d'une part le meurtre du roi Duff par Donwald et sa femme, et de l'autre l'histoire de Macbeth, dont nous ne saurons plus qu'il régna dix ans de façon louable. Les deux grands moments dramatiques que sont dans la pièce le banquet, où paraît le spectre de Banquo, et l'apparition nocturne de lady Macbeth somnambule sont de l'invention de Shakespeare.

Certaines des indications scéniques sont entre guillemets : c'est qu'elles figurent dans le Folio de 1623.

Page 195.

1. *Des fantassins, des hallebardiers.* Traduction approximative des *Kernes* et des *Gallowglasses* du texte, mercenaires irlandais venus des Hébrides. Le *kern* était un fantassin de basse catégorie, le *gallowglass* un cavalier armé d'une sorte de hache ou un fantassin puissamment armé (selon le *Lexicon* d'Alexander Schmidt, 1902, que semble suivre Dover Wilson). On retrouvera les *kernes* au Ve acte, combattant sans conviction pour Macbeth.

Page 196.

2. *Un autre Golgotha.* Parce que c'est le « lieu du crâne » (le mot araméen correspond au grec *kranion* de l'*Evangile de Jean,* XIX, 17). Le nom vient peut-être de la forme de la colline, mais il pouvait suggérer une idée d'ossuaire.

Page 197.

3. *L'île de Saint-Colme.* Inchcolm, ou St Columba's Isle, une petite île du Firth of Forth.

Page 199.

4. *Sur son rafiot je n'ai prise.* Littéralement : *though his bark cannot be lost.* Ce navire est un symbole de l'âme, contre laquelle les forces du mal ne peuvent rien. Coleridge a pu s'inspirer de ce passage pour *The Rime of the Ancient Mariner.*

Page 200.

5. *Le charme opère.* Ce qui pose la question de la part de liberté qui est laissée, par contre, à Macbeth, que voici pris sous le charme.

Page 205.

6. *Comme jamais encore.* Je me range à la suggestion de Kittredge, souvent retenue : *against the use of nature* au sens de : « contraire à sa nature », c'est-à-dire nouveau, inconnu encore, chez Macbeth.

Page 207.

7. *Forres.* Aujourd'hui simple bourgade dans le nord-est de l'Écosse.

8. *Exercé à mourir.* Le texte anglais n'est peut-être pas sans ambiguïté, car le mot employé, *studied (As one that had been studied in his death),* avait cours au théâtre, où il signifiait « appris par cœur, pour la scène » : Cawdor ne serait alors qu'un comédien.

Page 210.

9. *Inverness.* La « capitale des Highlands », dans le nord du royaume.

Page 216.

10. *En ce gué.* La plupart des éditeurs ont accepté aujourd'hui, à la suite de Théobald, *shoal* à la place de *school,* que donne le Folio. *Bank* et *School* suggéreraient un tout autre sens, celui de l' « école » qu'est le temps, et de la leçon qu'est l'éternel.

Page 218.

11. *Ni le moment, ni le lieu...* Faut-il penser que Macbeth avait conçu l'idée du meurtre à une époque antérieure, quand rien encore ne s'y prêtait ? Mais on peut accepter que lady Macbeth ne fasse allusion qu'à la lettre qu'elle avait reçue de son mari, quand le roi n'avait pas encore décidé qu'il viendrait à Inverness.

Page 225.

12. *Cette sentinelle fatale.* Un veilleur sonnait d'une cloche, à minuit, devant la cellule des prisonniers qu'on devait exécuter au matin.

Page 227.

13. *Oui, ils sont deux dans la chambre.* Sans doute s'agit-il maintenant des deux fils du roi, bien que lady Macbeth vienne de mentionner le seul Donalbain, et qu'elle n'ait rien dit d'eux jusqu'alors dans son plan de meurtre.

Page 230.

14. *Emberlifricoteur.* Pour rendre le *equivocator* de Shakespeare, qui est une allusion, elle sans équivoque, aux jésuites, et en particulier au père Garnet, lequel avait réclamé le droit de faire des réponses ambiguës à ses juges. Il me semble qu'il y a plus de vérité à pousser dans le sens de l'anachronisme (par l'emploi direct du mot « jésuite », quelques lignes plus haut) qu'à effacer de la traduction une référence que les spectateurs ne pouvaient pas ne pas relever.

15. *Ces chausses à la française.* Sous ce nom on en connaissait de deux sortes, l'une serrée, l'autre large. On pouvait voler le client en lui fournissant l'une et en lui comptant le drap qu'il aurait fallu pour l'autre.

Page 231.

16. *Et lui rabat son caquet.* Tout le passage qui suit est un jeu sur *to give the lie,* qui signifiait à la fois « traiter de menteur », « jeter à terre », et « uriner » (*lie* = *lye,* désignation argotique de l'urine).

Page 233.

17. *L'oiseau de la ténèbre.* Avec Kenneth Muir, entre autres, je rattache à *the obscure bird* le *prophesying* de deux vers avant. Dans *Jules César* aussi. I, III, 28, la chouette prophétise.

Page 235.

18. *Cette cave.* Le mot anglais est *vault,* qui signifie ici le cellier, la cave où l'on prend le vin, mais fait penser aussi à la voûte céleste, à celle d'une tombe.

Page 241.

19. *Scone.* Le lieu du couronnement des rois d'Écosse. Probablement la capitale de l'ancien royaume des Pictes, à deux milles au nord de Perth. Il y avait là la pierre du destin. — Colme-Kill, c'est l'île d'Iona, à ne pas confondre avec l'Inchcolm du premier acte.

Page 264.

20. *On a vu des pierres bouger.* Celles qu'on avait jetées sur la victime d'un meurtre. Depuis les chênes de Dodone, les arbres parlent. Quant à la pie et quelques autres oiseaux, ils peuvent sembler aussi prononcer des mots. Avec cette aide surnaturelle, l'augure révèle les liens secrets qui font tenir ensemble les différentes parties de la nature (*Arden*).

Page 266.

21. *Acte III, scène* V. Cette scène n'est heureusement pas de Shakespeare.

Page 268.

22. *Le pieux Édouard.* Édouard le Confesseur, roi des Anglo-Saxons de 1042 à 1066.

Page 271.

23. *Acte IV, scène* I. Deux interpolations : quand arrive Hécate, puis la dernière réplique de la première sorcière. Si celle-ci parle d'un « grand monarque », c'est par allusion, du coup, au roi qui est dans la salle. La chanson « Esprits des ténèbres » (*Black spirits*) ne figure ni dans le Folio ni dans le Quarto de 1673. On la trouve dans *La Sorcière* (*The Witch*) de Middleton (environ 1609). Son premier vers est *Black spirits and white, red spirits and gray* (Esprits noirs et blancs, esprits rouges et gris). Mais comme dans cette pièce elle fait référence à ce qui s'y passe, il est probable qu'on l'avait changée pour son emploi dans *Macbeth*. A moins que ce ne soit Middleton qui l'ait empruntée à une copie perdue de l'œuvre de Shakespeare et modifiée alors pour son propre usage.

Page 275.

24. *Une tête armée, etc.* La plupart des éditeurs de *Macbeth* acceptent l'interprétation de Upton, 1746, selon lequel la tête armée représente Macbeth comme il apparaîtra à la fin de l'œuvre, le col tranché. L'enfant ensanglanté serait Macduff, qui fut retiré avant terme du sein maternel, et l'enfant couronné qui tient dans ses mains un arbre serait Malcolm, l'héritier légitime, celui qui ordonna à ses soldats de couper des branches dans le bois de Dunsinane.

Page 278.

25. *Globe double et triple sceptre.* Jacques Ier d'Angleterre, qui est devenu roi en 1603, est aussi depuis 1567 Jacques VI, roi d'Écosse. Il fut donc couronné deux fois, à Scone et à Westminster. Le couronnement anglais a recours à deux sceptres, ce qui explique l'emploi de « triple ». Voici Banquo fondateur de la dynastie des Stuart.

Page 293.

26. *Le mal.* Tout ce passage s'appuie sur ce que Holinshed dit d'Édouard le Confesseur : le don de guérir le « mal royal », les écrouelles, autant que celui de prophétiser. Le premier don était resté chez ses descendants, supposait-on, encore que Jacques Ier montrât à cet égard quelque scepticisme.

Page 306.

27. Siward était le comte de Northumberland. Selon Holinshed, sa fille avait épousé Duncan, ce qui ferait de lui plutôt le grand-père de Malcolm.

Page 311.

28. *Mon bâton de commandement.* Je suis l'interprétation de Dover Wilson, mais Schmidt et d'autres préfèrent reconnaître en ce *my staff* la lance du combattant. On aura remarqué l'homophonie de Seton et de Satan.

Page 323.

29. *Aurais-je autant de fils que j'ai de cheveux.* Un jeu de mots sur *hairs* et *heirs,* les cheveux et les héritiers. On le regrettera d'autant moins qu'il n'est pas dans Holinshed, auquel Shakespeare emprunte tous les autres propos du vieux Siward.

Page 324.

30. *Où tangue.* Au bout d'une perche, d'une pique, dit Holinshed.

DU MÊME AUTEUR

par le même traducteur

Dans la même collection

HAMLET. LE ROI LEAR.

Dans Folio théâtre

JULES CÉSAR.

LE CONTE D'HIVER.

LA TEMPÊTE

COLLECTION FOLIO

Dernières parutions

2877.	Robert Littell	*Le sphinx de Sibérie.*
2878.	Claude Roy	*Les rencontres des jours 1992-1993.*
2879.	Danièle Sallenave	*Les trois minutes du diable.*
2880.	Philippe Sollers	*La Guerre du Goût.*
2881.	Michel Tournier	*Le pied de la lettre.*
2882.	Michel Tournier	*Le miroir des idées.*
2883.	Andreï Makine	*Confession d'un porte-drapeau déchu.*
2884.	Andreï Makine	*La fille d'un héros de l'Union soviétique.*
2885.	Andreï Makine	*Au temps du fleuve Amour.*
2896.	Susan Minot	*La vie secrète de Lilian Eliot.*
2897.	Orhan Pamuk	*Le livre noir.*
2898.	William Styron	*Un matin de Virginie.*
2899.	Claudine Vegh	*Je ne lui ai pas dit au revoir.*
2900.	Robert Walser	*Le brigand.*
2901.	Grimm	*Nouveaux contes.*
2902.	Chrétien de Troyes	*Lancelot ou Le chevalier de la charrette.*
2903.	Herman Melville	*Bartleby, le scribe.*
2904.	Jerome Charyn	*Isaac le mystérieux.*
2905.	Guy Debord	*Commentaires sur la société du spectacle.*
2906.	Guy Debord	*Potlatch* (1954-1957).
2907.	Karen Blixen	*Les chevaux fantômes* et autres contes.
2908.	Emmanuel Carrere	*La classe de neige.*
2909.	James Crumley	*Un pour marquer la cadence*
2910.	Anne Cuneo	*Le trajet d'une rivière.*
2911.	John Dos Passos	*L'initiation d'un homme.*
2912.	Alexandre Jardin	*L'île des Gauchers.*
2913.	Jean Rolin	*Zones.*
2914.	Jorge Semprun	*L'Algarabie.*

2915.	Junichirô Tanizaki	*Le chat, son maître et ses deux maîtresses.*
2916.	Bernard Tirtiaux	*Les sept couleurs du vent.*
2917.	H.G. Wells	*L'île du docteur Moreau.*
2918.	Alphonse Daudet	*Tartarin sur les Alpes.*
2919.	Albert Camus	*Discours de Suède.*
2921.	Chester Himes	*Regrets sans repentir.*
2922.	Paula Jacques	*La descente au paradis.*
2923.	Sibylle Lacan	*Un père.*
2924.	Kenzaburô Ôé	*Une existence tranquille.*
2925.	Jean-Noël Pancrazi	*Madame Arnoul.*
2926.	Ernest Pépin	*L'Homme-au-Bâton.*
2927.	Antoine de Saint-Exupéry	*Lettres à sa mère.*
2928.	Mario Vargas Llosa	*Le poisson dans l'eau.*
2929.	Arthur de Gobineau	*Les Pléiades.*
2930.	Alex Abella	*Le Massacre des Saints.*
2932.	Thomas Bernhard	*Oui.*
2933.	Gérard Macé	*Le dernier des Égyptiens.*
2934.	Andreï Makine	*Le testament français.*
2935.	N. Scott Momaday	*Le Chemin de la Montagne de Pluie.*
2936.	Maurice Rheims	*Les forêts d'argent.*
2937.	Philip Roth	*Opération Shylock.*
2938.	Philippe Sollers	*Le Cavalier du Louvre. Vivant Denon.*
2939.	Giovanni Verga	*Les Malavoglia.*
2941.	Christophe Bourdin	*Le fil.*
2942.	Guy de Maupassant	*Yvette.*
2943.	Simone de Beauvoir	*L'Amérique au jour le jour, 1947.*
2944.	Victor Hugo	*Choses vues, 1830-1848.*
2945.	Victor Hugo	*Choses vues, 1849-1885.*
2946.	Carlos Fuentes	*L'oranger.*
2947.	Roger Grenier	*Regardez la neige qui tombe.*
2948.	Charles Juliet	*Lambeaux.*
2949.	J.M.G. Le Clézio	*Voyage à Rodrigues.*
2950.	Pierre Magnan	*La Folie Forcalquier.*
2951.	Amos Oz	*Toucher l'eau, toucher le vent.*
2952.	Jean-Marie Rouart	*Morny, un voluptueux au pouvoir.*
2953.	Pierre Salinger	*De mémoire.*

2954.	Shi Nai-an	*Au bord de l'eau I.*
2955.	Shi Nai-an	*Au bord de l'eau II.*
2956.	Marivaux	*La Vie de Marianne.*
2957.	Kent Anderson	*Sympathy for the Devil.*
2958.	André Malraux	*Espoir — Sierra de Teruel*
2959.	Christian Bobin	*La folle allure.*
2960.	Nicolas Bréhal	*Le parfait amour.*
2961.	Serge Brussolo	*Hurlemort.*
2962.	Hervé Guibert	*La piqûre d'amour* et autres textes.
2963.	Ernest Hemingway	*Le chaud et le froid.*
2964.	James Joyce	*Finnegans Wake.*
2965.	Gilbert Sinoué	*Le Livre de saphir.*
2966.	Junichirô Tanizaki	*Quatre sœurs.*
2967.	Jeroen Brouwers	*Rouge décanté.*
2968.	Forrest Carter	*Pleure, Géronimo.*
2971.	Didier Daeninckx	*Métropolice.*
2972.	Franz-Olivier Giesbert	*Le vieil homme et la mort.*
2973.	Jean-Marie Laclavetine	*Demain la veille.*
2974.	J.M.G. Le Clézio	*La quarantaine.*
2975.	Régine Pernoud	*Jeanne d'Arc.*
2976.	Pascal Quignard	*Petits traités I.*
2977.	Pascal Quignard	*Petits traités II.*
2978.	Geneviève Brisac	*Les filles.*
2979.	Stendhal	*Promenades dans Rome*
2980.	Virgile	*Bucoliques. Géorgiques.*
2981.	Milan Kundera	*La lenteur.*
2982.	Odon Vallet	*L'affaire Oscar Wilde.*
2983.	Marguerite Yourcenar	*Lettres à ses amis et quelques autres.*
2984.	Vassili Axionov	*Une saga moscovite I.*
2985.	Vassili Axionov	*Une saga moscovite II.*
2986.	Jean-Philippe Arrou-Vignod	*Le conseil d'indiscipline.*
2987.	Julian Barnes	*Metroland.*
2988.	Daniel Boulanger	*Caporal supérieur.*
2989.	Pierre Bourgeade	*Éros mécanique.*
2990.	Louis Calaferte	*Satori.*
2991.	Michel Del Castillo	*Mon frère l'Idiot.*
2992.	Jonathan Coe	*Testament à l'anglaise.*

2993.	Marguerite Duras	*Des journées entières dans les arbres.*
2994.	Nathalie Sarraute	*Ici.*
2995.	Isaac Bashevis Singer	*Meshugah.*
2996.	William Faulkner	*Parabole.*
2997.	André Malraux	*Les noyers de l'Altenburg.*
2998.	Collectif	*Théologiens et mystiques au Moyen Âge.*
2999.	Jean-Jacques Rousseau	*Les Confessions (Livres I à IV).*
3000.	Daniel Pennac	*Monsieur Malaussène.*
3001.	Louis Aragon	*Le mentir-vrai.*
3002.	Boileau-Narcejac	*Schuss.*
3003.	LeRoi Jones	*Le peuple du blues.*
3004.	Joseph Kessel	*Vent de sable.*
3005.	Patrick Modiano	*Du plus loin de l'oubli.*
3006.	Daniel Prévost	*Le pont de la Révolte.*
3007.	Pascal Quignard	*Rhétorique spéculative.*
3008.	Pascal Quignard	*La haine de la musique.*
3009.	Laurent de Wilde	*Monk.*
3010.	Paul Clément	*Exit.*
3011.	Léon Tolstoï	*La Mort d'Ivan Ilitch.*
3012.	Pierre Bergounioux	*La mort de Brune.*
3013.	Jean-Denis Bredin	*Encore un peu de temps.*
3014.	Régis Debray	*Contre Venise.*
3015.	Romain Gary	*Charge d'âme.*
3016.	Sylvie Germain	*Éclats de sel.*
3017.	Jean Lacouture	*Une adolescence du siècle : Jacques Rivière et la* N.R.F.
3018.	Richard Millet	*La gloire des Pythre.*
3019.	Raymond Queneau	*Les derniers jours.*
3020.	Mario Vargas Llosa	*Lituma dans les Andes.*
3021.	Pierre Gascar	*Les femmes.*
3022.	Penelope Lively	*La sœur de Cléopâtre.*
3023.	Alexandre Dumas	*Le Vicomte de Bragelonne I.*
3024.	Alexandre Dumas	*Le Vicomte de Bragelonne II.*
3025.	Alexandre Dumas	*Le Vicomte de Bragelonne III.*
3026.	Claude Lanzmann	*Shoah.*
3027.	Julian Barnes	*Lettres de Londres.*
3028.	Thomas Bernhard	*Des arbres à abattre.*
3029.	Hervé Jaouen	*L'allumeuse d'étoiles.*
3030.	Jean d'Ormesson	*Presque rien sur presque tout.*

3031. Pierre Pelot — *Sous le vent du monde.*
3032. Hugo Pratt — *Corto Maltese.*
3033. Jacques Prévert — *Le crime de Monsieur Lange. Les portes de la nuit.*
3034. René Reouven — *Souvenez-vous de Monte-Cristo.*
3035. Mary Shelley — *Le dernier homme.*
3036. Anne Wiazemsky — *Hymnes à l'amour.*
3037. Rabelais — *Quart livre.*
3038. François Bon — *L'enterrement.*
3039. Albert Cohen — *Belle du Seigneur.*
3040. James Crumley — *Le canard siffleur mexicain.*
3041. Philippe Delerm — *Sundborn ou les jours de lumière.*
3042. Shûzaku Endô — *La fille que j'ai abandonnée.*
3043. Albert French — *Billy.*
3044. Virgil Gheorghiu — *Les Immortels d'Agapia.*
3045. Jean Giono — *Manosque-des-Plateaux* suivi de *Poème de l'olive.*
3046. Philippe Labro — *La traversée.*
3047. Bernard Pingaud — *Adieu Kafka ou l'imitation.*
3048. Walter Scott — *Le Cœur du Mid-Lothian.*
3049. Boileau-Narcejac — *Champ clos.*
3050. Serge Brussolo — *La maison de l'aigle.*
3052. Jean-François Deniau — *L'Atlantique est mon désert.*
3053. Mavis Gallant — *Ciel vert, ciel d'eau.*
3054. Mavis Gallant — *Poisson d'avril.*
3056. Peter Handke — *Bienvenue au conseil d'administration.*
3057. Anonyme — *Josefine Mutzenbacher. Histoire d'une fille de Vienne racontée par elle-même.*
3059. Jacques Sternberg — *188 contes à régler.*
3060. Gérard de Nerval — *Voyage en Orient.*
3061. René de Ceccatty — *Aimer.*
3062. Joseph Kessel — *Le tour du malheur I : La fontaine Médicis. L'affaire Bernan.*
3063. Joseph Kessel — *Le tour du malheur II : Les lauriers-roses. L'homme de plâtre.*
3064. Pierre Assouline — *Hergé.*

3065. Marie Darrieussecq — *Truismes.*
3066. Henri Godard — *Céline scandale.*
3067. Chester Himes — *Mamie Mason.*
3068 Jack-Alain Léger — *L'autre Falstaff.*
3070. Rachid O. — *Plusieurs vies.*
3071. Ludmila Oulitskaïa — *Sonietchka.*
3072. Philip Roth — *Le Théâtre de Sabbath.*
3073. John Steinbeck — *La Coupe d'Or.*
3074. Michel Tournier — *Éléazar ou La Source et le Buisson.*
3075. Marguerite Yourcenar — *Un homme obscur — Une belle matinée.*
3076. Loti — *Mon frère Yves.*
3078. Jerome Charyn — *La belle ténébreuse de Biélorussie.*
3079. Harry Crews — *Body.*
3080. Michel Déon — *Pages grecques.*
3081. René Depestre — *Le mât de cocagne.*
3082. Anita Desai — *Où irons-nous cet été ?*
3083. Jean-Paul Kauffmann — *La chambre noire de Longwood.*
3084. Arto Paasilinna — *Prisonniers du paradis.*
3086. Alain Veinstein — *L'accordeur.*
3087. Jean Maillart — *Le Roman du comte d'Anjou.*
3088. Jorge Amado — *Navigation de cabotage. Notes pour des mémoires que je n'écrirai jamais.*
3089. Alphonse Boudard — *Madame... de Saint-Sulpice.*
3091. William Faulkner — *Idylle au désert* et autres nouvelles.
3092. Gilles Leroy — *Les maîtres du monde.*
3093. Yukio Mishima — *Pèlerinage aux Trois Montagnes.*
3095. Reiser — *La vie au grand air 3.*
3096. Reiser — *Les oreilles rouges.*
3097. Boris Schreiber — *Un silence d'environ une demi-heure I.*
3098. Boris Schreiber — *Un silence d'environ une demi-heure II.*
3099. Aragon — *La Semaine Sainte.*
3100. Michel Mohrt — *La guerre civile.*
3101. Anonyme — *Don Juan (scénario de Jacques Weber).*

3102. Maupassant — *Clair de lune* et autres nouvelles.
3103. Ferdinando Camon — *Jamais vu soleil ni lune.*
3104. Laurence Cossé — *Le coin du voile.*
3105. Michel del Castillo — *Le sortilège espagnol.*
3106. Michel Déon — *La cour des grands.*
3107. Régine Detambel — *La verrière*
3108. Christian Bobin — *La plus que vive.*
3109. René Frégni — *Tendresse des loups.*
3110. N. Scott Momaday — *L'enfant des temps oubliés.*
3111. Henry de Montherlant — *Les garçons.*
3113. Jerome Charyn — *Il était une fois un droshky.*
3114. Patrick Drevet — *La micheline.*
3115. Philippe Forest — *L'enfant éternel.*
3116. Michel del Castillo — *La tunique d'infamie.*
3117. Witold Gombrowicz — *Ferdydurke.*
3118. Witold Gombrowicz — *Bakakaï.*
3119. Lao She — *Quatre générations sous un même toit.*
3120. Théodore Monod — *Le chercheur d'absolu.*
3121. Daniel Pennac — *Monsieur Malaussène au théâtre.*
3122. J.-B. Pontalis — *Un homme disparaît.*
3123. Sempé — *Simple question d'équilibre.*
3124. Isaac Bashevis Singer — *Le Spinoza de la rue du Marché.*
3125. Chantal Thomas — *Casanova. Un voyage libertin.*
3126. Gustave Flaubert — *Correspondance.*
3127. Sainte-Beuve — *Portraits de femmes.*
3128. Dostoïevski — *L'Adolescent.*
3129. Martin Amis — *L'information.*
3130. Ingmar Bergman — *Fanny et Alexandre.*
3131. Pietro Citati — *La colombe poignardée.*
3132. Joseph Conrad — *La flèche d'or.*
3133. Philippe Sollers — *Vision à New York*
3134. Daniel Pennac — *Des chrétiens et des Maures.*
3135. Philippe Djian — *Criminels.*
3136. Benoît Duteurtre — *Gaieté parisienne.*
3137. Jean-Christophe Rufin — *L'Abyssin.*
3138. Peter Handke — *Essai sur la fatigue. Essai sur le juke-box. Essai sur la journée réussie.*

3139. Naguib Mahfouz — *Vienne la nuit.*
3140. Milan Kundera — *Jacques et son maître, hommage à Denis Diderot en trois actes.*
3141. Henry James — *Les ailes de la colombe.*
3142. Dumas — *Le Comte de Monte-Cristo I.*
3143. Dumas — *Le Comte de Monte-Cristo II.*

3144 — *Les Quatre Évangiles.*
3145 Gogol — *Nouvelles de Pétersbourg.*
3146 Roberto Benigni et Vicenzo Cerami — *La vie est belle.*
3147 Joseph Conrad — *Le Frère-de-la-Côte.*
3148 Louis de Bernières — *La mandoline du capitaine Corelli.*
3149 Guy Debord — *"Cette mauvaise réputation..."*
3150 Isadora Duncan — *Ma vie.*
3151 Hervé Jaouen — *L'adieu aux îles.*
3152 Paul Morand — *Flèche d'Orient.*
3153 Jean Rolin — *L'organisation.*
3154 Annie Ernaux — *La honte.*
3155 Annie Ernaux — *« Je ne suis pas sortie de ma nuit ».*
3156 Jean d'Ormesson — *Casimir mène la grande vie.*
3157 Antoine de Saint-Exupéry — *Carnets.*
3158 Bernhard Schlink — *Le liseur.*
3159 Serge Brussolo — *Les ombres du jardin.*
3161 Philippe Meyer — *Le progrès fait rage. Chroniques 1.*
3162 Philippe Meyer — *Le futur ne manque pas d'avenir. Chroniques 2.*
3163 Philippe Meyer — *Du futur faisons table rase. Chroniques 3.*
3164 Ana Novac — *Les beaux jours de ma jeunesse.*
3165 Philippe Soupault — *Profils perdus.*
3166 Philippe Delerm — *Autumn*
3167 Hugo Pratt — *Cour des mystères*
3168 Philippe Sollers — *Studio*
3169 Simone de Beauvoir — *Lettres à Nelson Algren. Un amour transatlantique. 1947-1964*

3170 Elisabeth Burgos	*Moi, Rigoberta Menchú*
3171 Collectif	*Une enfance algérienne*
3172 Peter Handke	*Mon année dans la baie de Personne*
3173 Marie Nimier	*Celui qui court derrière l'oiseau*
3175 Jacques Tournier	*La maison déserte*
3176 Roland Dubillard	*Les nouveaux diablogues*
3177 Roland Dubillard	*Les diablogues et autres inventions à deux voix*
3178 Luc Lang	*Voyage sur la ligne d'horizon*
3179 Tonino Benacquista	*Saga*
3180 Philippe Delerm	*La première gorgée de bière et autres plaisirs minuscules*
3181 Patrick Modiano	*Dora Bruder*
3182 Ray Bradbury	*... mais à part ça tout va très bien*
3184 Patrick Chamoiseau	*L'esclave vieil homme et le molosse*
3185 Carlos Fuentes	*Diane ou La chasseresse solitaire*
3186 Régis Jauffret	*Histoire d'amour*
3187 Pierre Mac Orlan	*Le carrefour des Trois Couteaux*
3188 Maurice Rheims	*Une mémoire vagabonde*
3189 Danièle Sallenave	*Viol*
3190 Charles Dickens	*Les Grandes Espérances*
3191 Alain Finkielkraut	*Le mécontemporain*
3192 J.M.G. Le Clézio	*Poisson d'or*
3193 Bernard Simonay	*La première pyramide, I : La jeunesse de Djoser*
3194 Bernard Simonay	*La première pyramide, II : La cité sacrée d'Imhotep*
3195 Pierre Autin-Grenier	*Toute une vie bien ratée*
3196 Jean-Michel Barrault	*Magellan : la terre est ronde*
3197 Romain Gary	*Tulipe*
3198 Michèle Gazier	*Sorcières ordinaires*
3199 Richard Millet	*L'amour des trois sœurs Piale*
3200 Antoine de Saint-Exupéry	*Le petit prince*
3201 Jules Verne	*En Magellanie*
3202 Jules Verne	*Le secret de Wilhelm Storitz*
3203 Jules Verne	*Le volcan d'or*
3204 Anonyme	*Le charroi de Nîmes*

Impression Bussière Camedan Imprimeries
à Saint-Amand (Cher),
le 9 juillet 1999.
Dépôt légal : juillet 1999.
1er dépôt légal dans la collection : septembre 1985.
Numéro d'imprimeur : 992920/1.
ISBN 2-07-037676-1./Imprimé en France.

92771